Lucille Little –
Freshman.

ALPHONSE DAUDET.

NEUF CONTES CHOISIS
DE DAUDET

EDITED FOR SCHOOL USE, WITH BIOGRAPHY, NOTES,
COMPOSITION EXERCISES AND VOCABULARY

BY

VICTOR E. FRANÇOIS, Ph. D.

OFFICIER D'ACADÉMIE

ASSOCIATE PROFESSOR OF FRENCH IN THE COLLEGE OF THE
CITY OF NEW YORK

NEW YORK
HENRY HOLT AND COMPANY

PREFACE

The main objection many teachers have to the various editions of Daudet's short stories is the lack of proper gradation. The aim of the present editor has been therefore to gather together for early reading in a carefully graded order some of Daudet's best known and most popular tales. Five: *La chèvre de M. Seguin, Le secret de maître Cornille, Les vieux, Les étoiles, La mule du Pape,* are taken from *Lettres de mon moulin;* the others: *La dernière classe, Les petits pâtés, L'enfant espion, Le siège de Berlin* from *Contes du lundi.* No more interesting and suitable text, no better and more inspiring model of literary French prose can be put into the hands of young people eager to master the French language.

The popularity of these tales is so universal that a list of French text-books in the program of study of an American school, with Daudet's short stories left out, would seem to-day as incomplete and unsatisfactory as a list of Latin and Greek text-books without Cæsar's *De Bello Gallico* and Xenophon's *Anabasis.*

As no pains have been spared to make the notes

and the vocabulary as helpful as possible, it is hoped that they will be found not unworthy of the admirable text they aim to elucidate.

V. E. F.

CONTENTS

BIOGRAPHICAL NOTICE

Alphonse Daudet first saw the light on May 13, 1840, at Nîmes, "a city in Languedoc where one finds, as in every town of Southern France, a great deal of sunlight, plenty of dust, a convent of Carmelite nuns and two or three Roman monuments."

Because of his father's bankruptcy, he had to give up his studies at the Lyons lycée and, at fifteen, he became a monitor in the small preparatory school of Alais. He was so small and so puny and the boys he was supposed to look after were so unruly that he was obliged to resign, and he started for Paris, hoping to make his way in the literary world as a great poet. With only forty cents in his purse and no other footwear but a pair of thin rubber shoes, in spite of the bitter cold of the season, he joined his elder brother Ernest in the French capital in November, 1857. For some time, the two brothers lived on the meager earnings of Ernest who had become a journalist, but one of Alphonse's poems, *Les prunes*, having struck the Parisian fancy, was recited in all the drawing-rooms of the capital and brought upon its author the attention of Villemessant, the owner of the well-

known newspaper *Le Figaro*, who appointed him at
once on his editorial staff.

The young poet was now on the road to success.
From 1860 to 1865 he was one of the secretaries of
the Duke de Morny, the half-brother of Emperor
Napoleon III, but we are told that his new position
was a kind of a sinecure, Daudet calling at the office
hardly more than once a month, on pay-day. He
devoted his leisure hours to the writing of poems,
newspaper articles and short plays. Soon his health
failed as a consequence of the Bohemian life he was
leading, and he was ordered to the country by his
physician. He rented a dilapidated old windmill
at Fontvielle "situated in the very heart of Provence, on a hillside clothed with pine trees and green
oaks," and there he began to write his *Lettres de
mon moulin* which appeared first in a Parisian
newspaper.

A little later, the success of *Le Petit Chose*, the
first part of which is a kind of autobiography in
which he feelingly related his sad childhood and
the hardships he underwent as a college usher at
Alais, contributed to increase his popularity. About
the same time, he got married, and, soon after his
marriage, the Franco-Prussian war broke out. The
disasters of his country sobered Daudet, "made a
man out of him," and supplied the material for some
of his best *Contes du lundi* (1873). Until death re-

lieved him (December, 1897) from the unbearable
sufferings caused by the rheumatism that was shat-
tering his poor frame, he kept on writing novels
and plays which made him the most popular French
writer of his time, at home and abroad.

We shall mention only his most successful books:
L'Arlésienne (1872), his best play; *Aventures prodi-
gieuses de Tartarin de Tarascon* (1872) which gained
for him the name of the French Cervantes; *Fromont
jeune et Risler aîné* (1874); *Jack* (1876); *Le Nabab*
(1877); *Les Rois en exil* (1879); *Numa Roumestan*
(1881); *Sapho* (1884), etc., most of which have been
successfully dramatized.

Alphonse Daudet steadfastly declined to belong
to the French Academy, but was one of the first
ten members of the new Academy founded by his
bosom friend Edmond de Goncourt.

We are not concerned here with the playwright
or the novel writer, but with the unrivaled master
of the short story. All the critics agree that the
Lettres de mon moulin and *Contes du lundi* are incomparable, immortal and many think that they
will do more for his future glory than his best novels.
Though Daudet was only twenty-six years of age
when he wrote the first of the *Lettres de mon moulin*,
and though he was outwardly a most exuberant
Southerner, they are written in a wonderfully delicate and sober style. Their good-natured humor

mingled with irony, sympathy and pathos offer an everlasting delight to the most exacting reader. As François Coppée says, they are pure and short masterpieces of poetry and gracefulness. And the same praise may be bestowed on *Contes du lundi*, some of which, as has been said before, were largely suggested by the terrible war of 1870–71 and form a series of masterpieces breathing the highest patriotism.

Since this edition is intended for the use of students whose mother-tongue is English, we cannot close this notice in a more appropriate way than by quoting the opinion expressed in *Cosmopolis* by one of the most eminent English critics of the present time, Mr. Edmund Gosse:

"Out of the wreckage of his experimental writings he has saved for us the *Lettres de mon moulin* and the *Contes Choisis*, which contain, with *Le Petit Chose*, all that need trouble the general reader. . . . *Lettres de mon moulin* is the one youthful book of Alphonse Daudet which the most hurried student of modern French literature cannot afford to overlook. In its own way, and at its best, there is simply nothing that surpasses it. A short story of mediæval court life better than *La mule du Pape* has not been told. It is not possible to point to an idyll of pastoral adventure of the meditative class more classic in its graceful purity than *Les étoiles*.

As a masterpiece of picturesque and ironic study of the life of elderly persons in a village, *Les vieux* stands where *Cranford* stands, since sheer perfection knows neither first nor last. There are Corsican and Algerian sketches in this incomparable volume; but those which rise to the memory first, and are most thoroughly characteristic, are surely those which deal with country life and legend in the dreamy heart of Provence. 'Dance and Provençal song and sunburnt mirth' — that is what we recall when we think of the *Lettres de mon moulin.*"

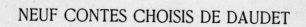

NEUF CONTES CHOISIS DE DAUDET

NEUF CONTES CHOISIS DE DAUDET

LA DERNIÈRE CLASSE

RÉCIT D'UN PETIT ALSACIEN

Ce matin-là j'étais très en retard pour aller à l'école, et j'avais grand'peur d'être grondé, d'autant que M. Hamel nous avait dit qu'il nous interrogerait sur les participes, et je n'en savais pas
5 le premier mot. Un moment l'idée me vint de manquer la classe et de prendre ma course à travers champs.

Le temps était si chaud, si clair!

On entendait les merles siffler à la lisière du bois,
10 et dans le pré Rippert, derrière la scierie, les Prussiens qui faisaient l'exercice. Tout cela me tentait bien plus que la règle des participes; mais j'eus la force de résister, et je courus bien vite vers l'école.

En passant devant la mairie, je vis qu'il y avait
15 du monde arrêté près du petit grillage aux affiches. Depuis deux ans, c'est de là que nous sont venues toutes les mauvaises nouvelles, les batailles perdues, les réquisitions, les ordres de la commandature; et je pensai sans m'arrêter:

3

— Qu'est-ce qu'il ý a encore?

Alors, comme je traversais la place en courant, le forgeron Wachter, qui était là avec son apprenti en train de lire l'affiche, me cria:

— Ne te dépêche pas tant, petit; tu y arriveras 5 toujours assez tôt à ton école!

Je crus qu'il se moquait de moi, et j'entrai tout essoufflé dans la petite cour de M. Hamel.

D'ordinaire, au commencement de la classe, il se faisait un grand tapage qu'on entendait jusque dans 10 la rue, les pupitres ouverts, fermés, les leçons qu'on répétait très haut tous ensemble en se bouchant les oreilles pour mieux apprendre, et la grosse règle du maître qui tapait sur les tables:

— Un peu de silence!   15

Je comptais sur tout ce train pour gagner mon banc sans être vu; mais justement ce jour-là tout était tranquille, comme un matin de dimanche. Par la fenêtre ouverte, je voyais mes camarades déjà rangés à leurs places, et M. Hamel, qui passait 20 et repassait avec la terrible règle en fer sous le bras. Il fallut ouvrir la porte et entrer au milieu de ce grand calme. Vous pensez, si j'étais rouge et si j'avais peur!

Eh bien, non. M. Hamel me regarda sans colère 25 et me dit très doucement:

— Va vite à ta place, mon petit Frantz; nous allions commencer sans toi.

J'enjambai le banc et je m'assis tout de suite à mon pupitre. Alors seulement, un peu remis de ma frayeur, je remarquai que notre maître avait sa belle redingote verte, son jabot plissé fin et la calotte de soie noire brodée qu'il ne mettait que les jours d'inspection ou de distribution de prix. Du reste, toute la classe avait quelque chose d'extraordinaire et de solennel. Mais ce qui me surprit le plus, ce fut de voir au fond de la salle, sur les bancs qui restaient vides d'habitude, des gens du village assis et silencieux comme nous, le vieux Hauser avec son tricorne, l'ancien maire, l'ancien facteur, et puis d'autres personnes encore. Tout ce monde-là paraissait triste; et Hauser avait apporté un vieil abécédaire mangé aux bords qu'il tenait grand ouvert sur ses genoux, avec ses grosses lunettes posées en travers des pages.

Pendant que je m'étonnais de tout cela, M. Hamel était monté dans sa chaire, et de la même voix douce et grave dont il m'avait reçu, il nous dit:

— Mes enfants, c'est la dernière fois que je vous fais la classe. L'ordre est venu de Berlin de ne plus enseigner que l'allemand dans les écoles de l'Alsace et de la Lorraine. . . . Le nouveau maître arrive demain. Aujourd'hui c'est votre dernière leçon de français. Je vous prie d'être bien attentifs.

Ces quelques paroles me bouleversèrent. Ah! les misérables, voilà ce qu'ils avaient affiché à la mairie.

Ma dernière leçon de français! . . .

Et moi qui savais à peine écrire! Je n'apprendrais donc jamais! Il faudrait donc en rester là! . . . Comme je m'en voulais maintenant du temps perdu, des classes manquées à courir les nids 5 ou à faire des glissades sur la Saar! Mes livres que tout à l'heure encore je trouvais si ennuyeux, si lourds à porter, ma grammaire, mon histoire sainte me semblaient à présent de vieux amis qui me feraient beaucoup de peine à quitter. C'est comme 10 M. Hamel. L'idée qu'il allait partir, que je ne le verrais plus, me faisait oublier les punitions, les coups de règle.

Pauvre homme!

C'est en l'honneur de cette dernière classe qu'il 15 avait mis ses beaux habits du dimanche, et maintenant je comprenais pourquoi ces vieux du village étaient venus s'asseoir au bout de la salle. Cela semblait dire qu'ils regrettaient de ne pas y être venus plus souvent, à cette école. C'était aussi 20 comme une façon de remercier notre maître de ses quarante ans de bons services, et de rendre leurs devoirs à la patrie qui s'en allait. . . .

J'en étais là de mes réflexions, quand j'entendis appeler mon nom. C'était mon tour de réciter. 25 Que n'aurais-je pas donné pour pouvoir dire tout au long cette fameuse règle des participes, bien haut, bien clair, sans une faute; mais je m'em-

brouillai aux premiers mots, et je restai debout à
me balancer dans mon banc, le cœur gros, sans oser
lever la tête.　J'entendais M. Hamel qui me parlait:

5　— Je ne te gronderai pas, mon petit Frantz, tu
dois être assez puni . . . voilà ce que c'est.　Tous
les jours on se dit: Bah! j'ai bien le temps.　J'ap-
prendrai demain.　Et puis tu vois ce qui arrive. . . .
Ah! ç'a été le plus grand malheur de notre <u>Alsace</u> de
10　toujours remettre son instruction à demain.　Maintenant ces gens-là sont en droit de nous dire: Comment!　Vous prétendiez être Français, et vous ne
savez ni parler ni écrire votre langue! . . .　Dans
tout ça, mon pauvre Frantz, ce n'est pas encore toi
15　le plus coupable.　Nous avons tous notre bonne
part de reproches à nous faire.

Vos parents n'ont pas assez tenu à vous voir in-
struits.　Ils aimaient mieux vous envoyer travailler
à la terre ou aux filatures pour avoir quelques sous
20　de plus.　Moi-même n'ai-je rien à me reprocher?
Est-ce que je ne vous ai pas souvent fait arroser
mon jardin au lieu de travailler?　Et quand je voulais aller pêcher des truites, est-ce que je me gênais
pour vous donner congé? . . .

25　Alors, d'une chose à l'autre, M. Hamel se mit à
nous parler de la langue française, disant que c'é-
tait la plus belle langue du monde, la plus claire, la
plus solide; qu'il fallait la garder entre nous et ne

jamais l'oublier, parce que, quand un peuple tombe
esclave, tant qu'il tient bien sa langue, c'est comme
s'il tenait la clef de sa prison. . . . Puis il prit une
grammaire et nous lut notre leçon. J'étais étonné
de voir comme je comprenais. Tout ce qu'il disait 5
me semblait facile, facile. Je crois aussi que je
n'avais jamais si bien écouté, et que lui non plus
n'avait jamais mis autant de patience à ses explica-
tions. On aurait dit qu'avant de s'en aller, le pauvre
homme voulait nous donner tout son savoir, nous 10
le faire entrer dans la tête d'un seul coup.

La leçon finie, on passa à l'écriture. Pour ce
jour-là, M. Hamel nous avait préparé des exemples
tout neufs, sur lesquels était écrit en belle ronde:
France, Alsace, France, Alsace. Cela faisait comme 15
des petits drapeaux qui flottaient tout autour de
la classe pendus à la tringle de nos pupitres. Il
fallait voir comme chacun s'appliquait, et quel
silence! On n'entendait rien que le grincement des
plumes sur le papier. Un moment des hannetons 20
entrèrent; mais personne n'y fit attention, pas même
les tout petits qui s'appliquaient à tracer leurs
bâtons, avec un cœur, une conscience, comme si cela
encore était du français. . . . Sur la toiture de
l'école, des pigeons roucoulaient tout bas, et je me 25
disais en les écoutant:

— Est-ce qu'on ne va pas les obliger à chanter en
allemand, eux aussi?

De temps en temps, quand je levais les yeux de dessus ma page, je voyais M. Hamel immobile dans sa chaire et fixant les objets autour de lui, comme s'il avait voulu emporter dans son regard toute sa
5 petite maison d'école. . . . Pensez! depuis quarante ans, il était là à la même place, avec sa cour en face de lui et sa classe toute pareille. Seulement les bancs, les pupitres s'étaient polis, frottés par l'usage; les noyers de la cour avaient grandi, et le
10 houblon qu'il avait planté lui-même enguirlandait maintenant les fenêtres jusqu'au toit. Quel crève-cœur ça devait être pour ce pauvre homme de quitter toutes ces choses et d'entendre sa sœur qui allait, venait, dans la chambre au-dessus, en train
15 de fermer leurs malles, car ils devaient partir le lendemain, s'en aller du pays pour toujours.

Tout de même il eut le courage de nous faire la classe jusqu'au bout. Après l'écriture, nous eûmes la leçon d'histoire; ensuite les petits chantèrent tous
20 ensemble le BA BE BI BO BU. Là-bas au fond de la salle, le vieux Hauser avait mis ses lunettes, et, tenant son abécédaire à deux mains, il épelait les lettres avec eux. On voyait qu'il s'appliquait lui aussi; sa voix tremblait d'émotion, et c'était si drôle
25 de l'entendre, que nous avions tous envie de rire et de pleurer. Ah! je m'en souviendrai de cette dernière classe. . . .

Tout à coup l'horloge de l'église sonna midi, puis

l'Angelus. Au même moment, les trompettes des Prussiens qui revenaient de l'exercice éclatèrent sous nos fenêtres. . . .   M. Hamel se leva, tout pâle, dans sa chaire. Jamais il ne m'avait paru si grand.   5

— Mes amis, dit-il, mes amis, je . . . je . . .

Mais quelque chose l'étouffait. Il ne pouvait pas achever sa phrase.

Alors il se tourna vers le tableau, prit un morceau de craie, et, en appuyant de toutes ses forces, 10 il écrivit aussi gros qu'il put:

— Vive la France!

Puis il resta là, la tête appuyée au mur, et, sans parler, avec sa main il nous faisait signe:

— C'est fini . . . allez-vous-en.   15

LA CHÈVRE DE M. SEGUIN

A M. Pierre Gringoire, poète lyrique à Paris

Tu seras bien toujours le même, mon pauvre Gringoire!

Comment! on t'offre une place de chroniqueur dans un bon journal de Paris, et tu as l'aplomb de
5 refuser. . . . Mais regarde-toi, malheureux garçon! Regarde ce pourpoint troué, ces chausses en déroute, cette face maigre qui crie la faim. Voilà pourtant où t'a conduit la passion des belles rimes! Voilà ce que t'ont valu dix ans de loyaux services
10 dans les pages du sire Apollo. . . . Est-ce que tu n'as pas honte, à la fin?

Fais-toi donc chroniqueur, imbécile! fais-toi chroniqueur! Tu gagneras de beaux écus à la rose, tu auras ton couvert chez Brébant, et tu pourras te
15 montrer les jours de première avec une plume neuve à ta barrette. . . .

Non? Tu ne veux pas? . . . Tu prétends rester libre à ta guise jusqu'au bout. . . . Eh bien, écoute un peu l'histoire de la *chèvre de M. Seguin*. Tu ver-
20 ras ce que l'on gagne à vouloir vivre libre.

M. Seguin n'avait jamais eu de bonheur avec ses chèvres.

Il les perdait toutes de la même façon: un beau
matin, elles cassaient leur corde, s'en allaient dans
la montagne, et là-haut le loup les mangeait. Ni
les caresses de leur maître, ni la peur du loup, rien
ne les retenait. C'était, paraît-il, des chèvres in- 5
dépendantes, voulant à tout prix le grand air et la
liberté.

Le brave M. Seguin, qui ne comprenait rien au
caractère de ses bêtes, était consterné. Il disait:

— C'est fini; les chèvres s'ennuient chez moi, je 10
n'en garderai pas une.

Cependant il ne se découragea pas, et, après avoir
perdu six chèvres de la même manière, il en acheta
une septième; seulement, cette fois, il eut soin de
la prendre toute jeune, pour qu'elle s'habituât 15
mieux à demeurer chez lui.

Ah! Gringoire, qu'elle était jolie la petite chèvre
de M. Seguin! qu'elle était jolie avec ses yeux doux,
sa barbiche de sous-officier, ses sabots noirs et lui-
sants, ses cornes zébrées et ses longs poils blancs 20
qui lui faisaient une houppelande! C'était presque
aussi charmant que le cabri d'Esméralda, tu te rap-
pelles, Gringoire? — et puis, docile, caressante, se
laissant traire sans bouger, sans mettre son pied
dans l'écuelle. Un amour de petite chèvre. . . . 25

M. Seguin avait derrière sa maison un clos en-
touré d'aubépines. C'est là qu'il mit sa nouvelle
pensionnaire. Il l'attacha à un pieu, au plus bel

endroit du pré, en ayant soin de lui laisser beaucoup de corde, et de temps en temps il venait voir
si elle était bien.   La chèvre se trouvait très heureuse
et broutait l'herbe de si bon cœur que M. Seguin
5 était ravi.

— Enfin, pensait le pauvre homme, en voilà une
qui ne s'ennuiera pas chez moi!

M. Seguin se trompait, sa chèvre s'ennuya.

Un jour, elle se dit en regardant la montagne:
10   — Comme on doit être bien là-haut! Quel plaisir
de gambader dans la bruyère, sans cette maudite
longe qui vous écorche le cou! . . . C'est bon pour
l'âne ou pour le bœuf de brouter dans un clos! . . .
Les chèvres, il leur faut du large.

15 A partir de ce moment, l'herbe du clos lui parut
fade. L'ennui lui vint. Elle maigrit, son lait se fit
rare. C'était pitié de la voir tirer tout le jour sur
sa longe, la tête tournée du côté de la montagne, la
narine ouverte, en faisant *Mé!* . . . tristement.

20 M. Seguin s'apercevait bien que sa chèvre avait
quelque chose, mais il ne savait pas ce que c'é-
tait. . . . Un matin, comme il achevait de la
traire, la chèvre se retourna et lui dit dans son
patois:

25   — Écoutez, monsieur Seguin, je me languis chez
vous, laissez-moi aller dans la montagne.

— Ah! mon Dieu! . . . Elle aussi! cria M. Se-

guin stupéfait et du coup il laissa tomber son
écuelle; puis, s'asseyant dans l'herbe à côté de sa
chèvre:

— Comment, Blanquette, tu veux me quitter!

Et Blanquette répondit: 5

— Oui, monsieur Seguin.

— Est-ce que l'herbe te manque ici?

— Oh! non, monsieur Seguin.

— Tu es peut-être attachée de trop court; veux-tu
que j'allonge la corde? 10

— Ce n'est pas la peine, monsieur Seguin.

— Alors, qu'est-ce qu'il te faut! qu'est-ce que tu
veux?

— Je veux aller dans la montagne, monsieur Seguin. 15

— Mais, malheureuse, tu ne sais pas qu'il y a le
loup dans la montagne. . . . Que feras-tu quand
il viendra? . . .

— Je lui donnerai des coups de corne, monsieur
Seguin. 20

— Le loup se moque bien de tes cornes. Il m'a
mangé des biques autrement encornées que toi. . . .
Tu sais bien, la pauvre vieille Renaude qui était ici
l'an dernier? une maîtresse chèvre, forte et méchante comme un bouc. Elle s'est battue avec le 25
loup toute la nuit . . . puis, le matin, le loup l'a
mangée.

— *Pécaïre!* Pauvre Renaude! Ça ne fait rien,

monsieur Seguin, laissez-moi aller dans la montagne.

— Bonté divine! . . . dit M. Seguin; mais qu'est ce qu'on leur fait donc à mes chèvres? Encore une que le loup va me manger. . . . Eh bien, non . . . je te sauverai malgré toi, coquine! et de peur que tu ne rompes ta corde, je vais t'enfermer dans l'étable, et tu y resteras toujours.

Là-dessus, M. Seguin emporta la chèvre dans une étable toute noire, dont il ferma la porte à double tour. Malheureusement, il avait oublié la fenêtre, et à peine eut-il le dos tourné, que la petite s'en alla. . . .

Tu ris, Gringoire? Parbleu! je crois bien; tu es du parti des chèvres, toi, contre ce bon M. Seguin. . . . Nous allons voir si tu riras tout à l'heure.

Quand la chèvre blanche arriva dans la montagne, ce fut un ravissement général. Jamais les vieux sapins n'avaient rien vu d'aussi joli. On la reçut comme une petite reine. Les châtaigniers se baissaient jusqu'à terre pour la caresser du bout de leurs branches. Les genêts d'or s'ouvraient sur son passage, et sentaient bon tant qu'ils pouvaient. Toute la montagne lui fit fête.

Tu penses, Gringoire, si notre chèvre était heureuse! Plus de corde, plus de pieu . . . rien qui l'empêchât de gambader, de brouter à sa guise. . . . C'est là qu'il y en avait de l'herbe! jusque par-

dessus les cornes, mon cher. . . . Et quelle herbe!
Savoureuse, fine, dentelée, faite de mille plan-
tes. . . . C'était bien autre chose que le gazon du
clos. Et les fleurs donc! . . . De grandes campa-
nules bleues, des digitales de pourpre à longs calices, 5
toute une forêt de fleurs sauvages débordant de sucs
capiteux! . . .

La chèvre blanche, à moitié soûle, se vautrait
là dedans les jambes en l'air et roulait le long des
talus, pêle-mêle avec les feuilles tombées et les 10
châtaignes. . . . Puis, tout à coup, elle se redres-
sait d'un bond sur ses pattes. Hop! la voilà partie,
la tête en avant, à travers les maquis et les buis-
sières, tantôt sur un pic, tantôt au fond d'un ravin,
là-haut, en bas, partout. . . . On aurait dit qu'il 15
y avait dix chèvres de M. Seguin dans la montagne.

C'est qu'elle n'avait peur de rien, la Blanquette.

Elle franchissait d'un saut de grands torrents qui
l'éclaboussaient au passage de poussière humide et
d'écume. Alors, toute ruisselante, elle allait s'éten- 20
dre sur quelque roche plate et se faisait sécher par
le soleil. . . . Une fois, s'avançant au bord d'un
plateau, une fleur de cytise aux dents, elle aperçut
en bas, tout en bas dans la plaine, la maison de M.
Seguin avec le clos derrière. Cela la fit rire aux 25
larmes.

—Que c'est petit! dit-elle; comment ai-je pu
tenir là dedans?

Pauvrette! de se voir si haut perchée, elle se croyait au moins aussi grande que le monde. . . .

En somme, ce fut une bonne journée pour la chèvre de M. Seguin. Vers le milieu du jour, en courant de droite et de gauche, elle tomba dans une troupe de chamois en train de croquer une lambrusque à belles dents. Notre petite coureuse en robe blanche fit sensation. On lui donna la meilleure place à la lambrusque. . . .

Tout à coup le vent fraîchit. La montagne devint violette; c'était le soir. . . .

— Déjà! dit la petite chèvre; et elle s'arrêta fort étonnée.

En bas, les champs étaient noyés de brume. Le clos de M. Seguin disparaissait dans le brouillard, et de la maisonnette on ne voyait plus que le toit avec un peu de fumée. Elle écouta les clochettes d'un troupeau qu'on ramenait, et se sentit l'âme toute triste. . . . Un gerfaut, qui rentrait, la frôla de ses ailes en passant. Elle tressaillit . . . puis ce fut un hurlement dans la montagne:

— Hou! hou!

Elle pensa au loup; de tout le jour la folle n'y avait pas pensé. . . . Au même moment une trompe sonna bien loin dans la vallée. C'était ce bon M. Seguin qui tentait un dernier effort.

— Hou! hou! . . . faisait le loup.

— Reviens! reviens! . . . criait la trompe.

Blanquette eut envie de revenir, mais en se rappelant le pieu, la corde, la haie du clos, elle pensa
que maintenant elle ne pouvait plus se faire à cette
vie, et qu'il valait mieux rester.   5

La trompe ne sonnait plus. . . .

La chèvre entendit derrière elle un bruit de
feuilles. Elle se retourna et vit dans l'ombre deux
oreilles courtes, toutes droites, avec deux yeux qui
reluisaient. . . . C'était le loup.   10

Énorme, immobile, assis sur son train de derrière, il était là regardant la petite chèvre blanche
et la dégustant par avance. Comme il savait bien
qu'il la mangerait, le loup ne se pressait pas; seulement, quand elle se retourna, il se mit à rire mé-   15
chamment.

— Ha! ha! la petite chèvre de M. Seguin; et il
passa sa grosse langue rouge sur ses babines d'amadou.

Blanquette se sentit perdue. . . . Un moment,   20
en se rappelant l'histoire de la vieille Renaude, qui
s'était battue toute la nuit pour être mangée le
matin, elle se dit qu'il vaudrait peut-être mieux se
laisser manger tout de suite; puis, s'étant ravisée,
elle tomba en garde, la tête basse et la corne en   25
avant, comme une brave chèvre de M. Seguin qu'elle
était. . . . Non pas qu'elle eût l'espoir de tuer le

loup, — les chèvres ne tuent pas le loup, — mais seulement pour voir si elle pourrait tenir aussi longtemps que la Renaude. . . .

Alors le monstre s'avança, et les petites cornes entrèrent en danse.

Ah! la brave chevrette, comme elle y allait de bon cœur! Plus de dix fois, je ne mens pas, Gringoire, elle força le loup à reculer pour reprendre haleine. Pendant ces trêves d'une minute, la gourmande cueillait en hâte encore un brin de sa chère herbe; puis elle retournait au combat, la bouche pleine. . . . Cela dura toute la nuit. De temps en temps la chèvre de M. Seguin regardait les étoiles danser dans le ciel clair, et elle se disait:

— Oh! pourvu que je tienne jusqu'à l'aube. . . .

L'une après l'autre, les étoiles s'éteignirent. Blanquette redoubla de coups de corne, le loup de coups de dents. . . . Une lueur pâle parut dans l'horizon. . . . Le chant d'un coq enroué monta d'une métairie.

— Enfin! dit la pauvre bête qui n'attendait plus que le jour pour mourir; et elle s'allongea par terre dans sa belle fourrure blanche toute tachée de sang. . . .

Alors le loup se jeta sur la petite chèvre et la mangea.

Adieu, Gringoire!

L'histoire que tu as entendue n'est pas un conte
de mon invention. Si jamais tu viens en Provence,
nos ménagers te parleront souvent de la *cabro de
moussu Seguin, que se battégue touto la neui emé lou
loup, e piei lou matin lou loup la mangé.*   5

Tu m'entends bien, Gringoire:

E piei lou matin lou loup la mangé.

MOULIN ALPHONSE-DAUDET.

LE SECRET DE MAÎTRE CORNILLE

Francet Mamaï, un vieux joueur de fifre, qui vient de temps en temps faire la veillée chez moi, en buvant du vin cuit, m'a raconté l'autre soir un petit drame de village dont mon moulin a été témoin, il y a quelque vingt ans. Le récit du bonhomme m'a touché, et je vais essayer de vous le redire tel que je l'ai entendu.

Imaginez-vous pour un moment, chers lecteurs, que vous êtes assis devant un pot de vin tout parfumé, et que c'est un vieux joueur de fifre qui vous parle.

— Notre pays, mon bon monsieur, n'a pas toujours été un endroit mort et sans renom, comme il est aujourd'hui. Autre temps, il s'y faisait un grand commerce de meunerie, et, dix lieues à la ronde, les gens des *mas* nous apportaient leur blé à moudre. . . . Tout autour du village, les collines étaient couvertes de moulins à vent. De droite et de gauche, on ne voyait que des ailes qui viraient au mistral par-dessus les pins, des ribambelles de petits ânes chargés de sacs, montant et dévalant le long des chemins; et toute la semaine c'était plaisir d'entendre sur la hauteur le bruit des fouets, le craquement de la toile et le *Dia hue!* des aides-

21

meuniers. . . . Le dimanche nous allions aux moulins, par bandes. Là-haut, les meuniers payaient
le muscat. Les meunières étaient belles commes
des reines, avec leurs fichus de dentelles et leurs
croix d'or. Moi, j'apportais mon fifre, et jusqu'à la ₅
noire nuit on dansait des farandoles. Ces moulins-
là, voyez-vous, faisaient la joie et la richesse de
notre pays.

Malheureusement, des Français de Paris eurent
l'idée d'établir une minoterie à vapeur, sur la route ₁₀
de Tarascon. Tout beau, tout nouveau! Les gens
prirent l'habitude d'envoyer leurs blés aux minotiers, et les pauvres moulins à vent restèrent sans
ouvrage. Pendant quelque temps ils essayèrent de
lutter, mais la vapeur fut la plus forte, et l'un après ₁₅
l'autre, *pécaïre!* ils furent tous obligés de fermer. . . .
On ne vit plus venir les petits ânes. . . . Les belles
meunières vendirent leurs croix d'or. . . . Plus de
muscat! plus de farandole! . . . Le mistral avait
beau souffler, les ailes restaient immobiles. . . . ₂₀
Puis, un beau jour, la commune fit jeter toutes ces
(masures à bas, et l'on sema à leur place de la vigne
et des oliviers.

Pourtant, au milieu de la débâcle, un moulin avait
tenu bon et continuait de virer courageusement sur ₂₅
sa butte, (à la barbe des minotiers) C'était le moulin
de maître Cornille, celui-là même où nous sommes
en train de faire la veillée en ce moment.

Maître Cornille était un vieux meunier, vivant depuis soixante ans dans la farine et enragé pour son état. L'installation des minoteries l'avait rendu comme fou. Pendant huit jours, on le vit courir par le village, ameutant le monde autour de lui et criant de toutes ses forces qu'on voulait empoisonner la Provence avec la farine des minotiers.

— N'allez pas là-bas, disait-il; ces brigands-là, pour faire le pain, se servent de la vapeur, qui est une invention du diable, tandis que moi je travaille avec le mistral et la tramontane, qui sont la respiration du bon Dieu. . . . Et il trouvait comme cela une foule de belles paroles à la louange des moulins à vent, mais personne ne les écoutait.

Alors, de male rage, le vieux s'enferma dans son moulin et vécut tout seul comme une bête farouche. Il ne voulut pas même garder près de lui sa petite-fille Vivette, une enfant de quinze ans, qui, depuis la mort de ses parents, n'avait plus que son *grand* au monde. La pauvre petite fut obligée de gagner sa vie et de se louer un peu partout dans les *mas*, pour la moisson, les magnans ou les olivades. Et pourtant son grand-père avait l'air de bien l'aimer, cette enfant-là. Il lui arrivait souvent de faire ses quatre lieues à pied par le grand soleil pour aller la voir au *mas* où elle travaillait, et quand il était près d'elle, il passait des heures entières à la regarder en pleurant. . . .

Dans le pays on pensait que le vieux meunier, en
renvoyant Vivette, avait agi par avarice; et cela ne
lui faisait pas honneur de laisser sa petite-fille ainsi
traîner d'une ferme à l'autre. . . . On trouvait très
mal aussi qu'un homme du renom de maître Cornille,   5
et qui, jusque-là, s'était respecté, s'en allât maintenant par les rues comme un vrai bohémien, pieds
nus, le bonnet troué, la taillole en lambeaux. . . .
Le fait est que le dimanche, lorsque nous le voyions
entrer à la messe, nous avions honte pour lui, nous   10
autres les vieux; et Cornille le sentait si bien qu'il
n'osait plus venir s'asseoir sur le banc d'œuvre.
Toujours il restait au fond de l'église, près du bénitier, avec les pauvres.

Dans la vie de maître Cornille il y avait quelque   15
chose qui n'était pas clair. Depuis longtemps personne, au village, ne lui portait plus de blé, et pourtant les ailes de son moulin allaient toujours leur
train comme devant. . . . Le soir, on rencontrait
par les chemins le vieux meunier poussant devant   20
lui son âne chargé de gros sacs de farine.

— Bonnes vêpres, maître Cornille! lui criaient les
paysans; ça va donc toujours, la meunerie?

— Toujours, mes enfants, répondait le vieux d'un
air gaillard. Dieu merci, ce n'est pas l'ouvrage qui   25
nous manque.

Alors, si on lui demandait d'où pouvait venir
tant d'ouvrage, il se mettait un doigt sur les lèvres

et répondait gravement: « *Motus!* je travaille pour
l'exportation. . . . » Jamais on n'en put tirer davantage.

Quant à mettre le nez dans son moulin, il n'y fallait pas songer. La petite Vivette elle-même n'y
entrait pas. . . .

Lorsqu'on passait devant, on voyait la porte toujours fermée, les grosses ailes toujours en mouvement, le vieil âne broutant le gazon de la plate-
forme, et un grand chat maigre qui prenait le soleil
sur le rebord de la fenêtre et vous regardait d'un
air méchant.

Tout cela sentait le mystère et faisait beaucoup
jaser le monde. Chacun expliquait à sa façon le
secret de maître Cornille, mais le bruit général était
qu'il y avait dans ce moulin-là encore plus de sacs
d'écus que de sacs de farine.

A la longue, pourtant, tout se découvrit; voici
comment:

En faisant danser la jeunesse avec mon fifre, je
m'aperçus un beau jour que l'aîné de mes garçons et
la petite Vivette s'étaient rendus amoureux l'un de
l'autre. Au fond je n'en fus pas fâché parce qu'après
tout le nom de Cornille était en honneur chez nous,
et puis ce joli petit passereau de Vivette m'aurait
fait plaisir à voir trotter dans ma maison. . . . Je
voulus régler l'affaire tout de suite et je montai jus-

qu'au moulin pour en toucher deux mots au grand-
père. . . . Ah! le vieux sorcier! il faut voir de
quelle manière il me reçut! Impossible de lui faire
ouvrir sa porte. Je lui expliquai mes raisons tant
bien que mal, à travers le trou de la serrure; et ₅
tout le temps que je parlais, il y avait ce coquin de
chat maigre qui soufflait comme un diable au-dessus de ma tête.

Le vieux ne me donna pas le temps de finir, et me
cria fort malhonnêtement de retourner à ma flûte; ₁₀
que, si j'étais pressé de marier mon garçon, je pouvais bien aller chercher des filles à la minoterie. . . .
Pensez que le sang me montait d'entendre ces
mauvaises paroles; mais j'eus tout de même assez
de sagesse pour me contenir, et, laissant ce vieux ₁₅
fou à sa meule, je revins annoncer aux enfants ma
déconvenue. . . . Ces pauvres agneaux ne pouvaient pas y croire: ils me demandèrent comme une
grâce de monter tous deux ensemble au moulin,
pour parler au grand-père. . . . Je n'eus pas le ₂₀
courage de refuser, et prrrt! voilà mes amoureux
partis.

Tout juste comme ils arrivaient là-haut, maître
Cornille venait de sortir. La porte était fermée à
double tour: mais le vieux bonhomme, en partant, ₂₅
avait laissé son échelle dehors, et tout de suite l'idée
vint aux enfants d'entrer par la fenêtre, voir un
peu ce qu'il y avait dans ce fameux moulin. . . .

Chose singulière! la chambre de la meule était vide. . . . Pas un sac, pas un grain de blé; pas la moindre farine aux murs ni sur les toiles d'araignées. . . . On ne sentait pas même cette bonne odeur chaude de froment écrasé qui embaume dans les moulins. . . . L'arbre de couche était couvert de poussière, et le grand chat maigre dormait dessus.

La pièce du bas avait le même air de misère et d'abandon — un mauvais lit, quelques guenilles, un morceau de pain sur une marche d'escalier, et puis dans un coin trois ou quatre sacs crevés d'où coulaient des gravats et de la terre blanche.

C'était là le secret de maître Cornille! C'était ce plâtras qu'il promenait le soir par les routes, pour sauver l'honneur du moulin et faire croire qu'on y faisait de la farine. . . . Pauvre moulin! Pauvre Cornille! Depuis longtemps les minotiers leur avaient enlevé leur dernière pratique. Les ailes viraient toujours, mais la meule tournait à vide.

Les enfants revinrent tout en larmes, me conter ce qu'ils avaient vu. J'eus le cœur crevé de les entendre. . . . Sans perdre une minute, je courus chez les voisins, je leur dis la chose en deux mots, et nous convînmes qu'il fallait, sur l'heure, porter au moulin Cornille tout ce qu'il y avait de froment dans les maisons. . . . Sitôt dit, sitôt fait. Tout le village se met en route, et nous arrivons là-haut

avec une procession d'ânes chargés de blé, — du
vrai blé, celui-là!

Le moulin était grand ouvert. . . . Devant la
porte, maître Cornille, assis sur un sac de plâtre,
pleurait, la tête dans ses mains. Il venait de s'aper- 5
cevoir, en rentrant, que pendant son absence on
avait pénétré chez lui et surpris son triste secret.

— Pauvre de moi! disait-il. Maintenant, je n'ai
plus qu'à mourir. . . . Le moulin est déshonoré.

Et il sanglotait à fendre l'âme, appelant son 10
moulin par toutes sortes de noms, lui parlant comme
à une personne véritable.

A ce moment, les ânes arrivent sur la plate-
forme, et nous nous mettons tous à crier bien fort
comme au beau temps des meuniers: 15

— Ohé! du moulin! . . . Ohé! maître Cornille!

Et voilà les sacs qui s'entassent devant la porte
et le beau grain roux qui se répand par terre, de
tous côtés. . . .

Maître Cornille ouvrait de grands yeux. Il avait 20
pris du blé dans le creux de sa vieille main et il
disait, riant et pleurant à la fois:

— C'est du blé! . . . Seigneur Dieu! . . . Du
bon blé! . . . Laissez-moi, que je le regarde.

Puis, se tournant vers nous: 25

— Ah! je savais bien que vous me reviendriez. . . .
Tous ces minotiers sont des voleurs.

Nous voulions l'emporter en triomphe au village:

— Non, non, mes enfants; il faut avant tout que j'aille donner à manger à mon moulin. . . . Pensez donc! il y a si longtemps qu'il ne s'est rien mis sous la dent!

5 Et nous avions tous des larmes dans les yeux de voir le pauvre vieux se démener de droite et de gauche, éventrant les sacs, surveillant la meule, tandis que le grain s'écrasait et que la fine poussière de froment s'envolait au plafond.

10 C'est une justice à nous rendre: à partir de ce jour-là, jamais nous ne laissâmes le vieux meunier manquer d'ouvrage. Puis, un matin, maître Cornille mourut, et les ailes de notre dernier moulin cessèrent de virer, pour toujours cette fois. . . .

15 Cornille mort, personne ne prit sa suite. Que voulez-vous, monsieur! . . . tout a une fin en ce monde, et il faut croire que le temps des moulins à vent était passé comme celui des coches sur le Rhône, des parlements et des jaquettes à grandes fleurs.

LES PETITS PÂTÉS

I

Ce matin-là, qui était un dimanche, le pâtissier Sureau de la rue Turenne appela son mitron, et lui dit:

— Voilà les petits pâtés de M. Bonnicar . . . va les porter et reviens vite. . . . Il paraît que les ⁵ Versaillais sont entrés dans Paris.

Le petit, qui n'entendait rien à la politique, mit les pâtés tout chauds dans sa tourtière, la tourtière dans une serviette blanche et, le tout d'aplomb sur sa barrette, partit au galop pour l'île Saint-Louis, ₁₀ où logeait M. Bonnicar. La matinée était magnifique, un de ces grands soleils de mai qui emplissent les fruiteries de bottes de lilas et de cerises en bouquets. Malgré la fusillade lointaine et les appels des clairons au coin des rues, tout ce vieux quartier ₁₅ du Marais gardait sa physionomie paisible. Il y avait du dimanche dans l'air, des rondes d'enfants au fond des cours, de grandes filles jouant au volant devant les portes, et cette petite silhouette blanche, qui trottait au milieu de la chaussée déserte dans ₂₀ un bon parfum de pâte chaude, achevait de donner à ce matin de bataille quelque chose de naïf et d'en-

dimanché. Toute l'animation du quartier semblait s'être répandue dans la rue de Rivoli. On
traînait des canons, on travaillait aux barricades;
des groupes à chaque pas, des gardes nationaux qui
5 s'affairaient. Mais le petit pâtissier ne perdit pas
la tête. Ces enfants-là sont si habitués à marcher
parmi les foules et le brouhaha de la rue! C'est aux
jours de fête et de train, dans l'encombrement des
premiers de l'an, des dimanches gras, qu'ils ont le
10 plus à courir; aussi les révolutions ne les étonnent
guère.

Il y avait plaisir vraiment à voir la petite barrette blanche se faufiler au milieu des képis et des
baïonnettes, évitant les chocs, balancée gentiment,
15 tantôt très vite, tantôt avec une lenteur forcée où
l'on sentait encore la grande envie de courir. Qu'est-
ce que cela lui faisait à lui, la bataille! L'essentiel
était d'arriver chez les Bonnicar pour le coup de
midi, et d'emporter bien vite le petit pourboire qui
20 l'attendait sur la tablette de l'antichambre.

Tout à coup il se fit dans la foule une poussée
terrible, et des pupilles de la République défilèrent
au pas de course, en chantant. C'étaient des
gamins de douze à quinze ans, affublés de chasse-
25 pots, de ceintures rouges, de grandes bottes, aussi
fiers d'être déguisés en soldats que quand ils cou-
rent, les mardis gras, avec des bonnets en papier et
un lambeau d'ombrelle rose grotesque dans la boue

du boulevard.   Cette fois, au milieu de la bousculade, le petit pâtissier eut beaucoup de peine à garder son équilibre; mais sa tourtière et lui avaient
fait tant de glissades sur la glace, tant de parties de
marelle en plein trottoir, que les petits pâtés en   5
furent quittes pour la peur.   Malheureusement cet
entrain, ces chants, ces ceintures rouges, l'admiration, la curiosité, donnèrent au mitron l'envie de
faire un bout de route en si belle compagnie; et dé-
passant sans s'en apercevoir l'Hôtel de ville et les   10
ponts de l'île Saint-Louis, il se trouva emporté je ne
sais où, dans la poussière et le vent de cette course
folle.

II

Depuis au moins vingt-cinq ans, c'était l'usage
chez les Bonnicar de manger des petits pâtés le   15
dimanche.   A midi très précis, quand toute la
famille — petits et grands — était réunie dans le
salon, un coup de sonnette vif et gai faisait dire à
tout le monde:

— Ah! . . . . voilà le pâtissier.   20

Alors avec un grand remuement de chaises, un
froufrou d'endimanchement, une expansion d'enfants rieurs devant la table mise, tous ces bourgeois heureux s'installaient autour des petits pâtés
symétriquement empilés sur le réchaud d'argent.   25

Ce jour-là la sonnette resta muette.   Scandalisé,

M. Bonnicar regardait sa pendule, une vieille pendule surmontée d'un héron empaillé, et qui n'avait
jamais de la vie avancé ni retardé. Les enfants
bâillaient aux vitres, guettant le coin de rue où le
5 mitron tournait d'ordinaire. Les conversations lan-
guissaient; et la faim, que midi creuse de ses douze
coups répétés, faisait paraître la salle à manger
bien grande, bien triste, malgré l'antique argenterie luisante sur la nappe damassée, et les serviet-
10 tes pliées tout autour en petits cornets raides et
blancs.

Plusieurs fois déjà la vieille bonne était venue
parler à l'oreille de son maître . . . rôti brûlé . . .
petits pois trop cuits. . . . Mais M. Bonnicar s'en-
15 têtait à ne pas se mettre à table sans les petits pâtés;
et, furieux contre Sureau, il résolut d'aller voir
lui-même ce que signifiait un retard aussi inouï.
Comme il sortait, en brandissant sa canne, très en
colère, des voisins l'avertirent:

20 — Prenez garde, M. Bonnicar . . . on dit que
les Versaillais sont entrés dans Paris.

Il ne voulut rien entendre, pas même la fusillade
qui s'en venait de Neuilly à fleur d'eau, pas même
le canon d'alarme de l'Hôtel de ville secouant toutes
25 les vitres du quartier.

— Oh! ce Sureau . . . ce Sureau! . . .

Et dans l'animation de la course il parlait seul, se
voyait déjà là-bas au milieu de la boutique, frap-

pant les dalles avec sa canne, faisant trembler les
glaces de la vitrine et les assiettes de babas. La
barricade du pont Louis-Philippe coupa sa colère
en deux. Il y avait là quelques fédérés à mine
féroce, vautrés au soleil sur le sol dépavé.   5

— Où allez-vous, citoyen?

Le citoyen s'expliqua; mais l'histoire des petits
pâtés parut suspecte, d'autant que M. Bonnicar
avait sa belle redingote des dimanches, des lunettes
d'or, toute la tournure d'un vieux réactionnaire.   10

— C'est un mouchard, dirent les fédérés, il faut
l'envoyer à Rigault.

Sur quoi, quatre hommes de bonne volonté, qui
n'étaient pas fâchés de quitter la barricade, pous-
sèrent devant eux à coups de crosse le pauvre   15
homme exaspéré.

Je ne sais pas comment ils firent leur compte,
mais une demi-heure après, ils étaient tous raflés
par la ligne et s'en allaient rejoindre une longue
colonne de prisonniers prête à se mettre en marche   20
pour Versailles. M. Bonnicar protestait de plus en
plus, levait sa canne, racontait son histoire pour
la centième fois. Par malheur cette invention de
petits pâtés paraissait si absurde, si incroyable au
milieu de ce grand bouleversement, que les officiers   25
ne faisaient qu'en rire.

— C'est bon, c'est bon, mon vieux. . . . Vous
vous expliquerez à Versailles.

Et par les Champs-Élysées, encore tout blancs de la fumée des coups de feu, la colonne s'ébranla entre deux files de chasseurs.

III

Les prisonniers marchaient cinq par cinq, en
5 rangs pressés et compacts. Pour empêcher le convoi de s'éparpiller, on les obligeait à se donner le bras, et le long troupeau humain faisait en piétinant dans la poussière de la route comme le bruit d'une grande pluie d'orage.

10 Le malheureux Bonnicar croyait rêver. Suant, soufflant, ahuri de peur et de fatigue, il se traînait à la queue de la colonne entre deux vieilles sorcières qui sentaient le pétrole et l'eau-de-vie; et d'entendre ces mots de: « Pâtissier, petits pâtés » qui
15 revenaient toujours dans ses imprécations, on pensait autour de lui qu'il était devenu fou.

Le fait est que le pauvre homme n'avait plus sa tête. Aux montées, aux descentes, quand les rangs du convoi se desserraient un peu, est-ce qu'il ne se
20 figurait pas voir, là-bas, dans la poussière qui remplissait les vides, la veste blanche et la barrette du petit garçon de chez Sureau? Et cela dix fois dans la route! Ce petit éclair blanc passait devant ses yeux comme pour le narguer, puis disparaissait au milieu
25 de cette houle d'uniformes, de blouses, de haillons.

Enfin, au jour tombant, on arriva dans Ver-

sailles; et quand la foule vit ce vieux bourgeois à
lunettes, débraillé, poussiéreux, hagard, tout le
monde fut d'accord pour lui trouver une tête de
scélérat. On disait:

— C'est Félix Pyat. . . . Non! c'est Delescluze. 5
Les chasseurs de l'escorte eurent beaucoup de
peine à l'amener sain et sauf jusqu'à la cour de
l'Orangerie. Là seulement le pauvre troupeau put
se disperser, s'allonger sur le sol, reprendre haleine.
Il y en avait qui dormaient, d'autres qui juraient, 10
d'autres qui toussaient, d'autres qui pleuraient;
Bonnicar lui, ne dormait pas, ne pleurait pas. Assis
au bord d'un perron, la tête dans ses mains, aux
trois quarts mort de faim, de honte, de fatigue, il
revoyait en esprit cette malheureuse journée, son 15
départ de là-bas, ses convives inquiets, ce couvert
mis jusqu'au soir et qui devait l'attendre encore,
puis l'humiliation, les injures, les coups de crosse,
tout cela pour un pâtissier inexact.

— Monsieur Bonnicar, voilà vos petits pâtés! . . . 20
dit tout à coup une voix près de lui; et le bonhomme
en levant la tête fut bien étonné de voir le petit
garçon de chez Sureau, qui s'était fait pincer avec
les pupilles de la République, découvrir et lui présenter la tourtière cachée sous son tablier blanc. 25
C'est ainsi que, malgré l'émeute et l'emprisonnement, ce dimanche-là comme les autres, M. Bonnicar mangea des petits pâtés.

L'ENFANT ESPION

Il s'appelait Stenne, le petit Stenne.

C'était un enfant de Paris, malingre et pâle, qui pouvait avoir dix ans, peut-être quinze; avec ces moucherons-là, on ne sait jamais. Sa mère était morte; son père, ancien soldat de marine, gardait un square dans le quartier du Temple. Les babies, les bonnes, les vieilles dames à pliants, les mères pauvres, tout le Paris trotte-menu qui vient se mettre à l'abri des voitures dans ces parterres bordés de trottoirs, connaissaient le père Stenne et l'adoraient. On savait que, sous cette rude moustache, effroi des chiens et des traîneurs de bancs, se cachait un bon sourire attendri, presque maternel, et que, pour voir ce sourire, on n'avait qu'à dire au bonhomme:

— Comment va votre petit garçon? . . .

Il l'aimait tant son garçon, le père Stenne! Il était si heureux, le soir, après la classe, quand le petit venait le prendre et qu'ils faisaient tous deux le tour des allées, s'arrêtant à chaque banc pour saluer les habitués, répondre à leurs bonnes manières.

Avec le siège malheureusement tout changea. Le square du père Stenne fut fermé, on y mit du pé-

trole, et le pauvre homme, obligé à une surveillance
incessante, passait sa vie dans les massifs déserts
et bouleversés, seul, sans fumer, n'ayant plus son
garçon que le soir, bien tard, à la maison. Aussi il
fallait voir sa moustache, quand il parlait des Prus- 5
siens. . . . Le petit Stenne, lui, ne se plaignait pas
trop de cette nouvelle vie.

Un siège! C'est si amusant pour les gamins.
Plus d'école! plus de mutuelle! Des vacances tout
le temps et la rue comme un champ de foire. . . . 10

L'enfant restait dehors jusqu'au soir, à courir.
Il accompagnait les bataillons du quartier qui allaient au rempart, choisissant de préférence ceux
qui avaient une bonne musique; et là-dessus le petit
Stenne était très ferré. Il vous disait fort bien que 15
celle du 96e ne valait pas grand'chose, mais qu'au
55e ils en avaient une excellente. D'autres fois, il
regardait les mobiles faire l'exercice; puis il y avait
les queues. . . .

Son panier sous le bras, il se mêlait à ces longues 20
files qui se formaient dans l'ombre des matins d'hiver sans gaz, à la grille des bouchers, des boulangers.
Là, les pieds dans l'eau, on faisait des connaissances,
on causait politique, et, comme fils de M. Stenne,
chacun lui demandait son avis. Mais le plus amu- 25
sant de tout, c'était encore les parties de bouchon,
ce fameux jeu de *galoche* que les mobiles bretons
avaient mis à la mode pendant le siège. Quand le

petit Stenne n'était pas au rempart ni aux boulan-
geries, vous étiez sûr de le trouver à la partie de
galoche de la place du Château-d'Eau. Lui ne
jouait pas, bien entendu; il faut trop d'argent. Il
5 se contentait de regarder les joueurs avec des yeux!

Un surtout, un grand en cotte bleue, qui ne
misait que des pièces de cent sous, excitait son admiration. Quand il courait, celui-là, on entendait
les écus sonner au fond de sa cotte. . . .

10 Un jour, en ramassant une pièce qui avait roulé
jusque sous les pieds du petit Stenne, le grand lui
dit à voix basse:

— Ça te fait loucher, hein? . . . Eh bien, si tu
veux, je te dirai où on en trouve.

15 La partie finie, il l'emmena dans un coin de la
place et lui proposa de venir avec lui vendre des
journaux aux Prussiens — on avait 30 francs par
voyage. D'abord Stenne refusa, très indigné; et du
coup, il resta trois jours sans retourner à la partie.
20 Trois jours terribles. Il ne mangeait plus, il ne
dormait plus. La nuit, il voyait des tas de galoches
dressées au pied de son lit, et des pièces de cent sous
qui filaient à plat, toutes luisantes. La tentation
était trop forte. Le quatrième jour, il retourna au
25 Château-d'Eau, revit le grand, se laissa séduire. . . .

Ils partirent par un matin de neige, un sac de
toile sur l'épaule, des journaux cachés sous leurs

blouses. Quand ils arrivèrent à la porte de Flandres, il faisait à peine jour. Le grand prit Stenne
par la main, et, s'approchant du factionnaire — un
brave sédentaire qui avait le nez rouge et l'air
bon — il lui dit d'une voix de pauvre: 5

— Laissez-nous passer, mon bon monsieur. . . .
Notre mère est malade, papa est mort. Nous allons voir avec mon petit frère à ramasser des pommes de terre dans le champ.

Il pleurait. Stenne, tout honteux, baissait la 10
tête. Le factionnaire les regarda un moment, jeta
un coup d'œil sur la route déserte et blanche.

— Passez vite, leur dit-il en s'écartant; et les
voilà sur le chemin d'Aubervilliers. C'est le grand
qui riait!   15

Confusément, comme dans un rêve, le petit
Stenne voyait des usines transformées en casernes,
des barricades désertes, garnies de chiffons mouillés,
de longues cheminées qui trouaient le brouillard et
montaient dans le ciel, vides, ébréchées. De loin 20
en loin, une sentinelle, des officiers encapuchonnés
qui regardaient là-bas avec des lorgnettes, et de
petites tentes trempées de neige fondue devant des
feux qui mouraient. Le grand connaissait les chemins, prenait à travers champs pour éviter les postes. 25
Pourtant ils arrivèrent, sans pouvoir y échapper,
à une grand'garde de francs-tireurs. Les francs-
tireurs étaient là avec leurs petits cabans, accroupis

au fond d'une fosse pleine d'eau, tout le long du
chemin de fer de Soissons. Cette fois le grand eut
beau recommencer son histoire, on ne voulut pas
les laisser passer. Alors, pendant qu'il se lamen-
tait, de la maison du garde-barrière sortit sur la
voie un vieux sergent, tout blanc, tout ridé, qui
ressemblait au père Stenne:

— Allons, mioches, ne pleurons plus! dit-il aux
enfants, on vous y laissera aller, à vos pommes de
terre; mais, avant, entrez vous chauffer un peu. . . .
Il a l'air gelé ce gamin-là!

Hélas! Ce n'était pas de froid qu'il tremblait le
petit Stenne, c'était de peur, c'était de honte. . . .
Dans le poste, ils trouvèrent quelques soldats blottis autour d'un feu maigre, un vrai feu de veuve, à
la flamme duquel ils faisaient dégeler du biscuit
au bout de leurs baïonnettes. On se serra pour
faire place aux enfants. On leur donna la goutte,
un peu de café. Pendant qu'ils buvaient, un officier
vint sur la porte, appela le sergent, lui parla tout
bas et s'en alla bien vite.

— Garçons! dit le sergent en rentrant ra-
dieux . . . *y aura du tabac* cette nuit. . . . On
a surpris le mot des Prussiens. . . . Je crois
que cette fois nous allons le leur reprendre, ce
sacré Bourget!

Il y eut une explosion de bravos et de rires. On
dansait, on chantait, on astiquait les sabres-baïon-

nettes; et, profitant de ce tumulte, les enfants disparurent.

Passé la tranchée, il n'y avait plus que la plaine,
et au fond un long mur blanc troué de meurtrières.
C'est vers ce mur qu'ils se dirigèrent, s'arrêtant à 5
chaque pas pour faire semblant de ramasser des
pommes de terre.

— Rentrons. . . . N'y allons pas, disait tout le
temps le petit Stenne.

L'autre levait les épaules et avançait toujours. 10
Soudain ils entendirent le trictrac d'un fusil qu'on
armait.

— Couche-toi! fit le grand, en se jetant par
terre.

Une fois couché, il siffla. Un autre sifflet ré- 15
pondit sur la neige. Ils s'avancèrent en ram-
pant. . . . Devant le mur, au ras du sol, parurent
deux moustaches jaunes sous un béret crasseux.
Le grand sauta dans la tranchée, à côté du Prus-
sien: 20

— C'est mon frère, dit-il en montrant son compagnon.

Il était si petit, ce Stenne, qu'en le voyant le
Prussien se mit à rire et fut obligé de le prendre
dans ses bras pour le hisser jusqu'à la brèche.   25

De l'autre côté du mur, c'étaient de grands rem-
blais de terres, des arbres couchés, des trous noirs
dans la neige, et dans chaque trou le même béret

crasseux, les mêmes moustaches jaunes qui riaient
en voyant passer les enfants.

Dans un coin, une maison de jardinier casematée
de troncs d'arbres. Le bas était plein de soldats
5 qui jouaient aux cartes, faisaient la soupe sur un
grand feu clair. Cela sentait bon les choux, le
lard; quelle différence avec le bivouac des francs-
tireurs! En haut, les officiers. On les entendait
jouer du piano, déboucher du vin de Champagne.
10 Quand les Parisiens entrèrent, un hurrah de joie les
accueillit. Ils donnèrent leurs journaux; puis on
leur versa à boire et on les fit causer. Tous ces
officiers avaient l'air fier et méchant, mais le grand
les amusait avec sa verve faubourienne, son voca-
15 bulaire de voyou. Ils riaient, répétaient ses mots
après lui, se roulaient avec délice dans cette boue
de Paris qu'on leur apportait.

Le petit Stenne aurait bien voulu parler, lui
aussi, prouver qu'il n'était pas une bête; mais quel-
20 que chose le gênait. En face de lui se tenait à part
un Prussien plus âgé, plus sérieux que les autres,
qui lisait, ou plutôt faisait semblant, car ses yeux
ne le quittaient pas. Il y avait dans ce regard de
la tendresse et des reproches, comme si cet homme
25 avait eu au pays un enfant du même âge que Stenne
et qu'il se fût dit:

— J'aimerais mieux mourir que de voir mon fils
faire un métier pareil. . . .

A partir de ce moment, Stenne sentit comme
une main qui se posait sur son cœur et l'empêchait
de battre.

Pour échapper à cette angoisse, il se mit à boire.
Bientôt tout tourna autour de lui. Il entendait 5
vaguement, au milieu de gros rires, son camarade
qui se moquait des gardes nationaux, de leur façon
de faire l'exercice, imitait une prise d'armes au
Marais, une alerte de nuit sur les remparts. Ensuite le grand baissa la voix, les officiers se rappro- 10
chèrent et les figures devinrent graves. Le misérable était en train de les prévenir de l'attaque des
francs-tireurs. . . .

Pour le coup, le petit Stenne se leva furieux, dégrisé: 15

— Pas cela, grand. . . . Je ne veux pas.

Mais l'autre ne fit que rire et continua. Avant
qu'il eût fini, tous les officiers étaient debout. Un
d'eux montra la porte aux enfants:

— F . . . le camp! leur dit-il.   20

Et ils se mirent à causer entre eux, très vite, en
allemand. Le grand sortit, fier comme un doge, en
faisant sonner son argent. Stenne le suivit, la tête
basse; et lorsqu'il passa près du Prussien dont le
regard l'avait tant gêné, il entendit une voix triste 25
qui disait:

— *Bas chôli, ça.* . . . *Bas chôli.*

Les larmes lui en vinrent aux yeux.

Une fois dans la plaine, les enfants se mirent à courir et rentrèrent rapidement. Leur sac était plein de pommes de terre que leur avaient données les Prussiens; avec cela ils passèrent sans encombre
5 à la tranchée des francs-tireurs. On s'y préparait pour l'attaque de la nuit. Des troupes arrivaient silencieuses, se massant derrière les murs. Le vieux sergent était là, occupé à placer ses hommes, l'air si heureux. Quand les enfants passèrent, il les re-
10 connut et leur envoya un bon sourire. . . .

Oh! que ce sourire fit mal au petit Stenne! un moment il eut envie de crier:

— N'allez pas là-bas . . . nous vous avons trahis.

15 Mais l'autre lui avait dit:— Si tu parles, nous serons fusillés; et la peur le retint. . . .

A la Courneuve, ils entrèrent dans une maison abandonnée pour partager l'argent. La vérité m'oblige à dire que le partage fut fait honnêtement, et
20 que d'entendre sonner ces beaux écus sous sa blouse, de penser aux parties de *galoche* qu'il avait là, en perspective, le petit Stenne ne trouvait plus son crime aussi affreux.

Mais, lorsqu'il fut seul, le malheureux enfant!
25 Lorsque, après les portes, le grand l'eut quitté, alors ses poches commencèrent à devenir bien lourdes, et la main qui lui serrait le cœur le serra plus fort que jamais. Paris ne lui semblait plus le même.

Les gens qui passaient le regardaient sévèrement,
comme s'ils avaient su d'où il venait. Le mot espion, il l'entendait dans le bruit des roues, dans le
battement des tambours qui s'exerçaient le long du
canal. Enfin il arriva chez lui, et, tout heureux 5
de voir que son père n'était pas encore rentré, il
monta vite dans leur chambre cacher sous son oreiller ces écus qui lui pesaient tant.

Jamais le père Stenne n'avait été si bon, si joyeux
qu'en rentrant ce soir-là. On venait de recevoir des 10
nouvelles de province: les affaires du pays allaient
mieux. Tout en mangeant, l'ancien soldat regardait
son fusil pendu à la muraille, et il disait à l'enfant
avec son bon rire:

— Hein, garçon, comme tu irais aux Prussiens, 15
si tu étais grand!

Vers huit heures, on entendit le canon.

— C'est Aubervilliers. . . . On se bat au Bourget, fit le bonhomme, qui connaissait tous ses forts.
Le petit Stenne devint pâle, et, prétextant une 20
grande fatigue, il alla se coucher, mais il ne dormit
pas. Le canon tonnait toujours. Il se représentait
les francs-tireurs arrivant de nuit pour surprendre
les Prussiens et tombant eux-mêmes dans une embuscade. Il se rappelait le sergent qui lui avait 25
souri, le voyait étendu là-bas dans la neige, et combien d'autres 'avec lui! . . . Le prix de tout ce
sang se cachait là sous son oreiller, et c'était lui, le

fils de M. Stenne, d'un soldat. . . . Les larmes
l'étouffaient. Dans la pièce à côté, il entendait son
père marcher, ouvrir la fenêtre. En bas, sur la
place, le rappel sonnait, un bataillon de mobiles se
5 numérotait pour partir. Décidément, c'était une
vraie bataille. Le malheureux ne put retenir un
sanglot.

— Qu'as-tu donc? dit le père Stenne en entrant.

L'enfant n'y tint plus, sauta de son lit et vint se
10 jeter aux pieds de son père. Au mouvement qu'il
fit, les écus roulèrent par terre.

— Qu'est-ce que cela? Tu as volé? dit le vieux
en tremblant.

Alors, tout d'une haleine, le petit Stenne raconta
15 qu'il était allé chez les Prussiens et ce qu'il y
avait fait. A mesure qu'il parlait, il se sentait le
cœur plus libre, cela le soulageait de s'accuser. . . .
Le père Stenne écoutait, avec une figure terrible.
Quand ce fut fini, il cacha sa tête dans ses mains et
20 pleura.

— Père, père . . . voulut dire l'enfant.

Le vieux le repoussa sans répondre, et ramassa
l'argent.

— C'est tout? demanda-t-il.

25 Le petit Stenne fit signe que c'était tout. Le
vieux décrocha son fusil, sa cartouchière, et mettant
l'argent dans sa poche:

— C'est bon, dit-il, je vais le leur rendre.

Et, sans ajouter un mot, sans seulement retourner la tête, il descendit se mêler aux mobiles qui partaient dans la nuit. On ne l'a jamais revu depuis.

LES VIEUX

— Une lettre, père Azan?

— Oui, monsieur . . . ça vient de Paris.

Il était tout fier que ça vînt de Paris, ce brave père Azan. . . . Pas moi. . . . Quelque chose me disait que cette Parisienne de la rue Jean-Jacques, tombant sur ma table à l'improviste et de si grand matin, allait me faire perdre toute ma journée. Je ne me trompais pas, voyez plutôt:

Il faut que tu me rendes un service, mon ami. Tu vas fermer ton moulin pour un jour et t'en aller tout de suite à Eyguières. Eyguières est un gros bourg à trois ou quatre lieues de chez toi, — une promenade. En arrivant, tu demanderas le couvent des Orphelines. La première maison après le couvent est une maison basse à volets gris avec un jardinet derrière. Tu entreras sans frapper, — la porte est toujours ouverte, — et en entrant, tu crieras bien fort: « Bonjour, braves gens! je suis l'ami de Maurice. . . . » Alors, tu verras deux petits vieux, oh! mais vieux, vieux, archi-vieux, te tendre les bras du fond de leurs grands fauteuils, et tu les embrasseras de ma part, avec tout ton cœur, comme s'ils étaient à toi. Puis vous causerez; ils te parleront de moi, rien que de moi; ils te raconte-

*ront mille folies que tu écouteras sans rire. . . . Tu
ne riras pas, hein? . . . Ce sont mes grands-parents,
deux êtres dont je suis toute la vie et qui ne m'ont pas
vu depuis dix ans. . . . Dix ans, c'est long! Mais
que veux-tu? moi, Paris me tient; eux, c'est le grand* 5
*âge. . . . Ils sont si vieux, s'ils venaient me voir, ils
se casseraient en route. Heureusement, tu es là-bas,
mon cher meunier, et, en t'embrassant, les pauvres
gens croiront m'embrasser un peu moi-même. Je
leur ai si souvent parlé de nous et de cette bonne amitié* 10
dont. . . .

Le diable soit de l'amitié! Justement ce matin-
là il faisait un temps admirable, mais qui ne valait
rien pour courir les routes: trop de mistral et trop
de soleil, une vraie journée de Provence. Quand 15
cette maudite lettre arriva, j'avais déjà choisi mon
cagnard (abri) entre deux roches, et je rêvais de
rester là tout le jour, comme un lézard, à boire de la
lumière, en écoutant chanter les pins. . . . Enfin,
que voulez-vous faire? Je fermai le moulin en 20
maugréant, je mis la clef sous la chatière. Mon
bâton, ma pipe, et me voilà parti.

J'arrivai à Eyguières vers deux heures. Le village était désert, tout le monde aux champs. Dans
les ormes du cours, blancs de poussière, les cigales 25
chantaient comme en pleine Crau. Il y avait bien
sur la place de la mairie un âne qui prenait le soleil,

un vol de pigeons sur la fontaine de l'église; mais
personne pour m'indiquer l'orphelinat. Par bonheur une vieille fée m'apparut tout à coup, accrou-
pie et filant dans l'encoignure de sa porte; je lui dis
5 ce que je cherchais et comme cette fée était très
puissante, elle n'eut qu'à lever sa quenouille: aussitôt le couvent des Orphelines se dressa devant moi
comme par magie. . . . C'était une grande maison
maussade et noire, toute fière de montrer au-dessus
10 de son portail en ogive une vieille croix de grès
rouge avec un peu de latin autour. A côté de cette
maison, j'en aperçus une autre plus petite. Des
volets gris, le jardin derrière. . . . Je la reconnus
tout de suite, et j'entrai sans frapper.

15 Je reverrai toute ma vie ce long corridor frais et
calme, la muraille peinte en rose, le jardinet qui
tremblait au fond à travers un store de couleur
claire, et sur tous les panneaux des fleurs et des
violons fanés. Il me semblait que j'arrivais chez
20 quelque vieux bailli du temps de Sedaine. . . . Au
bout du couloir, sur la gauche, par une porte entr'ouverte on entendait le tic tac d'une grosse horloge et une voix d'enfant, mais d'enfant à l'école,
qui lisait en s'arrêtant à chaque syllabe: A . . .
25 LORS . . . SAINT . . . I . . . RÉ . . . NÉE . . .
S'É . . . CRI . . . A . . . JE . . . SUIS . . . LE
. . . FRO . . . MENT . . . DU . . . SEIGNEUR . . .
IL . . . FAUT . . . QUE . . . JE . . . SOIS . . .

MOU . . . LU . . . PAR . . . LA . . . DENT . . .
DE . . . CES . . . A . . . NI . . . MAUX. . . . Je
m'approchai doucement de cette porte et je regardai.

Dans le calme et le demi-jour d'une petite cham- 5
bre, un bon vieux à pommettes roses, ridé jusqu'au
bout des doigts, dormait au fond d'un fauteuil, la
bouche ouverte, les mains sur ses genoux. A ses
pieds, une fillette habillée de bleu, — grande pèlerine et petit béguin, le costume des orphelines — 10
lisait la vie de saint Irénée dans un livre plus gros
qu'elle. . . . Cette lecture miraculeuse avait opéré
sur toute la maison. Le vieux dormait dans son
fauteuil, les mouches au plafond, les canaris dans
leur cage, là-bas sur la fenêtre. La grosse horloge 15
ronflait, tic tac, tic tac. Il n'y avait d'éveillé dans
toute la chambre qu'une grande bande de lumière
qui tombait droite et blanche entre les volets clos,
pleine d'étincelles vivantes et de valses microsco-
piques. . . . Au milieu de l'assoupissement géné- 20
ral, l'enfant continuait sa lecture d'un air grave:
AUS . . . SI . . . TÔT . . . DEUX . . . LIONS . . .
SE . . . PRÉ . . . CI . . . PI . . . TÈ . . . RENT
. . . SUR . . . LUI . . . ET . . . LE . . . DÉ . . .
VO . . . RÈ . . . RENT. . . . C'est à ce moment 25
que j'entrai. . . . Les lions de saint Irénée se précipitant dans la chambre n'y auraient pas produit
plus de stupeur que moi. Un vrai coup de théâtre!

La petite pousse un cri, le gros livre tombe, les
canaris, les mouches se réveillent, la pendule sonne,
le vieux se dresse (en sursaut,) tout effaré, et moi-
même, un peu troublé, je m'arrête sur le seuil en
criant bien fort:

— Bonjour, braves gens! je suis l'ami de Maurice.

Oh! alors, si vous l'aviez vu, le pauvre vieux, si
vous l'aviez vu venir vers moi les bras tendus, m'embrasser, me serrer les mains, courir égaré dans la
chambre, en faisant:

— Mon Dieu! mon Dieu! . . .

Toutes les rides de son visage riaient. Il était
rouge. Il bégayait:

— Ah! monsieur . . . ah! monsieur. . . .

Puis il allait vers le fond en appelant:

— Mamette!

Une porte qui s'ouvre, un trot de souris dans le
couloir . . . c'était Mamette. Rien de joli comme
cette petite vieille avec son bonnet à coques, sa
robe carmélite, et son mouchoir brodé qu'elle tenait
à la main pour me faire honneur, à l'ancienne
mode. . . . Chose attendrissante! ils se ressemblaient. Avec un tour et des coques jaunes, il
aurait pu s'appeler Mamette, lui aussi. Seulement
la vraie Mamette avait dû beaucoup pleurer dans
sa vie, et elle était encore plus ridée que l'autre.
Comme l'autre aussi, elle avait près d'elle une enfant de l'orphelinat, petite garde en pèlerine bleue,

qui ne la quittait jamais; et de voir ces vieillards
protégés par ces orphelines, c'était ce qu'on peut
imaginer de plus touchant.

En entrant, Mamette avait commencé par me
faire une grande révérence, mais d'un mot le vieux 5
lui coupa sa révérence en deux:

— C'est l'ami de Maurice. . . .

Aussitôt la voilà qui tremble, qui pleure, perd son
mouchoir, qui devient rouge, toute rouge, encore
plus rouge que lui. . . . Ces vieux! ça n'a qu'une 10
goutte de sang dans les veines, et à la moindre émotion elle leur saute au visage. . . .

— Vite, vite, une chaise . . . dit la vieille à sa
petite.

— Ouvre les volets . . . crie le vieux à la sienne. 15

Et, me prenant chacun par une main, ils m'em-
menèrent en trottinant jusqu'à la fenêtre, qu'on a
ouverte toute grande pour mieux me voir. On ap-
proche les fauteuils, je m'installe entre les deux sur
un pliant, les petites bleues derrière nous, et l'in- 20
terrogatoire commence:

— Comment va-t-il? Qu'est-ce qu'il fait? Pourquoi ne vient-il pas? Est-ce qu'il est content?

Et patati et patata! Comme cela pendant des
heures. 25

Moi, je répondais de mon mieux à toutes leurs
questions, donnant sur mon ami les détails que
je savais, inventant effrontément ceux que je ne

savais pas, me gardant surtout d'avouer que je n'avais jamais remarqué si ses fenêtres fermaient bien ou de quelle couleur était le papier de sa chambre.

5 — Le papier de sa chambre! . . . Il est bleu, madame, bleu clair, avec des guirlandes. . . .

— Vraiment? faisait la pauvre vieille attendrie; et elle ajoutait en se tournant vers son mari: C'est un si brave enfant!

10 — Oh! oui, c'est un si brave enfant! reprenait l'autre avec enthousiasme.

Et tout le temps que je parlais, c'étaient entre eux des hochements de tête, des petits rires fins, des clignements d'yeux, des airs entendus, ou bien en-
15 core le vieux qui se rapprochait pour me dire:

— Parlez plus fort. . . . Elle a l'oreille un peu dure.

Et elle de son côté:

— Un peu plus haut, je vous prie! . . . Il n'en-
20 tend pas très bien. . . .

Alors j'élevais la voix; et tous deux me remerciaient d'un sourire; et dans ces sourires fanés qui se penchaient vers moi, cherchant jusqu'au fond de mes yeux l'image de leur Maurice, moi,
25 j'étais tout ému de la retrouver cette image, vague, voilée, presque insaisissable, comme si je voyais mon ami me sourire, très loin, dans un brouillard.

Tout à coup le vieux se dresse sur son fauteuil:

— Mais j'y pense, Mamette . . . il n'a peut-
être pas déjeuné!

Et Mamette, effarée, les bras au ciel: 5

— Pas déjeuné! . . . Grand Dieu!

Je croyais qu'il s'agissait encore de Maurice, et
j'allais répondre que ce brave enfant n'attendait
jamais plus tard que midi pour se mettre à table.
Mais non, c'était bien de moi qu'on parlait; et il 10
faut voir quel branle-bas quand j'avouai que j'étais
encore à jeun:

— Vite, le couvert, petites bleues! La table au
milieu de la chambre, la nappe du dimanche, les
assiettes à fleurs. Et ne rions pas tant, s'il vous 15
plaît! et dépêchons-nous. . . .

Je crois bien qu'elles se dépêchaient. A peine le
temps de casser trois assiettes, le déjeuner se trouva
servi.

— Un bon petit déjeuner! me disait Mamette en 20
me conduisant à table; seulement vous serez tout
seul. . . . Nous autres, nous avons déjà mangé ce
matin.

Ces pauvres vieux! à quelque heure qu'on les
prenne, ils ont toujours mangé le matin.   25

Le bon petit déjeuner de Mamette, c'était deux
doigts de lait, des dattes et une *barquette*, quelque
chose comme un échaudé; de quoi la nourrir elle et

ses canaris au moins pendant huit jours. . . . Et
dire qu'à moi seul je vins à bout de toutes ces provisions! . . . Aussi quelle indignation autour de
la table! Comme les petites bleues chuchotaient
5 en se poussant du coude et là-bas, au fond de leur
cage, comme les canaris avaient l'air de se dire:
Oh! ce monsieur qui mange toute la *barquette!*

Je la mangeai toute, en effet, et presque sans
m'en apercevoir, occupé que j'étais à regarder au-
10 tour de moi dans cette chambre claire et paisible
où flottait comme une odeur de choses ancien-
nes. . . . Il y avait surtout deux petits lits dont
je ne pouvais pas détacher mes yeux. Ces lits, presque deux berceaux, je me les figurais le matin, au
15 petit jour, quand ils sont encore enfouis sous leurs
grands rideaux à franges. Trois heures sonnent.
C'est l'heure où tous les vieux se réveillent:

— Tu dors, Mamette?

— Non, mon ami.

20 — N'est-ce pas que Maurice est un brave enfant?

— Oh! oui; c'est un brave enfant.

Et j'imaginais comme cela toute une causerie,
rien que pour avoir vu ces deux petits lits de vieux,
25 dressés l'un à côté de l'autre. . . .

Pendant ce temps, un drame terrible se passait
à l'autre bout de la chambre devant l'armoire. Il
s'agissait d'atteindre là-haut, sur le dernier rayon,

certain bocal de cerises à l'eau-de-vie qui attendait
Maurice depuis dix ans et dont on voulait me faire
l'ouverture.   Malgré les supplications de Mamette,
le vieux avait tenu à aller chercher ces cerises lui-
même; et, monté sur une chaise au grand effroi de   5
sa femme, il essayait d'arriver là-haut. . . .   Vous
voyez le tableau d'ici, le vieux qui tremble et qui se
hisse, les petites bleues cramponnées à sa chaise,
Mamette derrière lui haletante, les bras tendus, et
sur tout cela un léger parfum de bergamote qui   10
s'exhale de l'armoire ouverte et des grandes piles
de linge roux. . . .   C'était charmant.

Enfin, après bien des efforts, on parvint à le tirer
de l'armoire, ce fameux bocal, et avec lui une vieille
timbale d'argent toute bosselée, la timbale de Mau-   15
rice quand il était petit.   On me la remplit de cerises
jusqu'au bord; Maurice les aimait tant, les cerises!
Et tout en me servant, le vieux me disait à l'oreille
d'un air de gourmandise:

— Vous êtes bien heureux, vous, de pouvoir en   20
manger!   C'est ma femme qui les a faites. . . .
Vous allez goûter quelque chose de bon.

Hélas! sa femme les avait faites, mais elle avait
oublié de les sucrer.   Que voulez-vous!   On devient
distrait en vieillissant.   Elles étaient atroces, vos   25
cerises, ma pauvre Mamette. . . .   Mais cela ne
m'empêcha pas de les manger jusqu'au bout, sans
sourciller.

Le repas terminé, je me levai pour prendre congé
de mes hôtes. Ils auraient bien voulu me garder
encore un peu pour causer du brave enfant, mais
le jour baissait, le moulin était loin, il fallait
5 partir.

Le vieux s'était levé en même temps que
moi.

— Mamette, mon habit!... Je veux le conduire jusqu'à la place.

10 Bien sûr qu'au fond d'elle-même Mamette trouvait qu'il faisait déjà un peu frais pour me conduire
jusqu'à la place; mais elle n'en laissa rien paraître.
Seulement, pendant qu'elle l'aidait à passer les manches de son habit, un bel habit tabac d'Espagne à
15 boutons de nacre, j'entendais la chère créature qui
lui disait doucement:

— Tu ne rentreras pas trop tard, n'est-ce pas?

Et lui, d'un petit air malin:

— Hé! hé!... je ne sais pas... peut-être....

20 Là-dessus, ils se regardaient en riant, et les petites
bleues riaient de les voir rire, et dans leur coin les
canaris riaient aussi à leur manière.... Entre
nous, je crois que l'odeur des cerises les avait tous
un peu grisés.

25 ... La nuit tombait, quand nous sortîmes, le
grand-père et moi. La petite bleue nous suivait de
loin pour le ramener; mais lui ne la voyait pas, et
il était tout fier de marcher à mon bras, comme un

homme.   Mamette, rayonnante, voyait cela du pas
de sa porte, et elle avait en nous regardant de jolis
hochements de tête qui semblaient dire:

— Tout de même, mon pauvre homme! . . . il
marche encore.   5

LES ÉTOILES

RÉCIT D'UN BERGER PROVENÇAL

Du temps que je gardais les bêtes sur le Luberon, je restais des semaines entières sans voir âme qui vive, seul dans le pâturage avec mon chien Labri et mes ouailles. De temps en temps l'ermite du 5 Mont-de-l'Ure passait par là pour chercher des simples ou bien j'apercevais la face noire de quelque charbonnier du Piémont, mais c'étaient des gens naïfs, silencieux à force de solitude, ayant perdu le goût de parler et ne sachant rien de ce qui se disait 10 en bas dans les villages et les villes. Aussi, tous les quinze jours, lorsque j'entendais, sur le chemin qui monte, les sonnailles du mulet de notre ferme m'apportant les provisions de quinzaine, et que je voyais apparaître peu à peu, au-dessus de la côte, la tête 15 éveillée du petit *miarro* (garçon de ferme), ou la coiffe rousse de la vieille tante Norade, j'étais vraiment bien heureux. Je me faisais raconter les nouvelles du pays d'en bas, les baptêmes, les mariages; mais ce qui m'intéressait surtout, c'était de savoir 20 ce que devenait la fille de mes maîtres, notre demoiselle Stéphanette, la plus jolie qu'il y eût à dix lieues à la ronde. Sans avoir l'air d'y prendre

trop d'intérêt, je m'informais si elle allait beaucoup aux fêtes, aux veillées, s'il lui venait toujours
de nouveaux galants; et à ceux qui me demanderont
ce que ces choses-là pouvaient me faire, à moi
pauvre berger de la montagne, je répondrai que 5
j'avais vingt ans et que cette Stéphanette était ce
que j'avais vu de plus beau dans ma vie.

Or, un dimanche que j'attendais les vivres de
quinzaine, il se trouva qu'ils n'arrivèrent que très
tard. Le matin je me disais: «C'est la faute de la 10
grand'messe; » puis, vers midi, il vint un gros orage,
et je pensai que la mule n'avait pas pu se mettre en
route à cause du mauvais état des chemins. Enfin,
sur les trois heures, le ciel étant lavé, la montagne
luisante d'eau et de soleil, j'entendis parmi l'égout- 15
tement des feuilles et le débordement des ruisseaux
gonflés les sonnailles de la mule, aussi gaies, aussi
alertes qu'un grand carillon de cloches un jour de
Pâques. Mais ce n'était pas le petit *miarro*, ni la
vieille Norade qui la conduisait. C'était . . . de- 20
vinez qui! . . . notre demoiselle, mes enfants! notre
demoiselle en personne, assise droite entre les sacs
d'osier, toute rose de l'air des montagnes et du rafraîchissement de l'orage.

Le petit était malade, tante Norade en vacances 25
chez ses enfants. La belle Stéphanette m'apprit
tout ça, en descendant de sa mule, et aussi qu'elle
arrivait tard parce qu'elle s'était perdue en route;

mais à la voir si bien endimanchée, avec son ruban
à fleurs, sa jupe brillante et ses dentelles, elle avait
plutôt l'air de s'être attardée à quelque danse que
d'avoir cherché son chemin dans les buissons. O
5 la mignonne créature! Mes yeux ne pouvaient se
lasser de la regarder. Il est vrai que je ne l'avais
jamais vue de si près. Quelquefois l'hiver quand
les troupeaux étaient descendus dans la plaine et
que je rentrais le soir à la ferme pour souper, elle
10 traversait la salle vivement, sans guère parler aux
serviteurs, toujours parée et un peu fière. . . . Et
maintenant je l'avais là devant moi; . . . n'était-
ce pas à en perdre la tête?

Quand elle eut tiré les provisions du panier,
15 Stéphanette se mit à regarder curieusement autour
d'elle. Relevant un peu sa belle jupe du dimanche
qui aurait pu s'abîmer, elle entra dans le *parc*, voulut voir le coin où je couchais, la crèche de paille
avec la peau de mouton, ma grande cape accrochée
20 au mur, ma crosse, mon fusil à pierre. Tout cela
l'amusait.

— Alors c'est ici que tu vis, mon pauvre berger?
Comme tu dois t'ennuyer d'être toujours seul!
Qu'est-ce que tu fais? A quoi penses-tu? . . .
25 J'avais envie de répondre: « A vous, maîtresse, »
et je n'aurais pas menti; mais mon trouble était si
grand que je ne pouvais pas seulement trouver une
parole. Je crois bien qu'elle s'en apercevait, et que

la méchante prenait plaisir à redoubler mon embarras avec ses malices:

— Et ta bonne amie, berger, est-ce qu'elle monte
te voir quelquefois? . . . Ça doit être bien sûr la
chèvre d'or, ou cette fée Estérelle qui ne court   5
qu'à la pointe des montagnes. . . .

Et elle-même, en me parlant, avait bien l'air de
la fée Estérelle, avec le joli rire de sa tête renver-
sée et sa hâte de s'en aller qui faisait de sa visite
une apparition.   10

— Adieu, berger.

— Salut, maîtresse.

Et la voilà partie, emportant ses corbeilles
vides.

Lorsqu'elle disparut dans le sentier en pente, il 15
me semblait que les cailloux, roulant sous les sabots
de la mule, me tombaient un à un sur le cœur. Je
les entendis longtemps, longtemps; et jusqu'à la
fin du jour je restai comme ensommeillé, n'osant
bouger, de peur de faire en aller mon rêve. Vers le 20
soir, comme le fond des vallées commençait à devenir bleu et que les bêtes se serraient en bêlant
l'une contre l'autre pour rentrer au *parc*, j'entendis
qu'on m'appelait dans la descente, et je vis paraître
notre demoiselle, non plus rieuse ainsi que tout à 25
l'heure, mais tremblante de froid, de peur, de mouillure. Il paraît qu'au bas de la côte elle avait trouvé
la Sorgue grossie par la pluie d'orage, et qu'en vou-

lant passer à toute force elle avait risqué de se
noyer. Le terrible, c'est qu'à cette heure de nuit
il ne fallait plus songer à retourner à la ferme; car
le chemin par la traverse, notre demoiselle n'aurait
5 jamais su s'y retrouver toute seule, et moi je ne
pouvais pas quitter le troupeau. Cette idée de passer la nuit sur la montagne la tourmentait beaucoup, surtout à cause de l'inquiétude des siens.
Moi, je la rassurais de mon mieux:

10 — En juillet, les nuits sont courtes, maîtresse. . . .
Ce n'est qu'un mauvais moment.

Et j'allumai vite un grand feu pour sécher ses
pieds et sa robe toute trempée de l'eau de la Sorgue.
Ensuite j'apportai devant elle du lait, des froma-
15 geons; mais la pauvre petite ne songeait ni à se
chauffer, ni à manger, et de voir les grosses larmes
qui montaient dans ses yeux, j'avais envie de pleurer, moi aussi.

Cependant la nuit était venue tout à fait. Il
20 ne restait plus sur la crête des montagnes qu'une
poussière de soleil, une vapeur de lumière du côté
du couchant. Je voulus que notre demoiselle en-
trât se reposer dans le *parc*. Ayant étendu sur la
paille fraîche une belle peau toute neuve, je lui
25 souhaitai la bonne nuit, et j'allai m'asseoir dehors
devant la porte. . . . Dieu m'est témoin qu'au-
cune mauvaise pensée ne me vint, rien qu'une
grande fierté de songer que dans un coin du *parc*,

tout près du troupeau curieux qui la regardait dormir, la fille de mes maîtres — comme une brebis
plus précieuse et plus blanche que toutes les autres — reposait, confiée à ma garde. Jamais le ciel
ne m'avait paru si profond, les étoiles si brillan- 5
tes. . . . Tout à coup, la claire-voie du *parc* s'ouvrit et la belle Stéphanette parut. Elle ne pouvait
pas dormir. Les bêtes faisaient crier la paille en
remuant, ou bêlaient dans leurs rêves. Elle aimait
mieux venir près du feu. Voyant cela, je lui jetai 10
ma peau de bique sur les épaules, j'activai la
flamme, et nous restâmes assis l'un près de l'autre
sans parler. Si vous avez jamais passé la nuit à la
belle étoile, vous savez qu'à l'heure où nous dor-
mons, un monde mystérieux s'éveille dans la soli- 15
tude et le silence. Alors les sources chantent bien
plus clair, les étangs allument des petites flammes.
Tous les esprits de la montagne vont et viennent
librement; et il y a dans l'air des frôlements, des
bruits imperceptibles, comme si l'on entendait les 20
branches grandir, l'herbe pousser. Le jour, c'est
la vie des êtres, mais la nuit, c'est la vie des choses.
Quand on n'en a pas l'habitude, ça fait peur. . . .
Aussi notre demoiselle était toute frissonnante et
se serrait contre moi au moindre bruit. Une fois, 25
un cri long, mélancolique, parti de l'étang qui luisait plus bas, monta vers nous en ondulant. Au
même instant une belle étoile filante glissa par-des-

sus nos têtes dans la même direction, comme si
cette plainte que nous venions d'entendre portait
une lumière avec elle.

— Qu'est-ce que c'est? me demanda Stéphanette
5 à voix basse.

— Une âme qui entre en paradis, maîtresse; et
je fis le signe de la croix.

Elle se signa aussi, et resta un moment la tête en
l'air, très recueillie. Puis elle me dit:

10 — C'est donc vrai, berger, que vous êtes sorciers,
vous autres?

— Nullement, notre demoiselle. Mais ici nous
vivons plus près des étoiles, et nous savons ce qui
s'y passe mieux que des gens de la plaine.

15 Elle regardait toujours en haut, la tête appuyée
dans la main, entourée de la peau de mouton comme
un petit pâtre céleste.

— Qu'il y en a! Que c'est beau! jamais je n'en
avais tant vu. . . . Est-ce que tu sais leurs noms,
20 berger?

— Mais oui, maîtresse. . . . Tenez! juste au-
dessus de nous, voilà le *Chemin de saint Jacques*
(la voie lactée). Il va de France droit sur l'Espagne.
C'est saint Jacques de Galice qui l'a tracé pour
25 montrer sa route au brave Charlemagne lorsqu'il
faisait la guerre aux Sarrasins. Plus loin vous avez
le *Char des âmes* (la grande Ourse) avec ses quatre
essieux resplendissants. Les trois étoiles qui vont

devant sont les *Trois bêtes*, et cette toute petite
contre la troisième c'est le *Charretier*. Voyez-vous
tout autour cette pluie d'étoiles qui tombent? ce
sont les âmes dont le bon Dieu ne veut pas chez
lui. . . . Un peu plus bas, voici le *Râteau* ou les 5
Trois rois (Orion). C'est ce qui nous sert d'horloge
à nous autres. Rien qu'en les regardant, je sais
maintenant qu'il est minuit passé. Un peu plus
bas, toujours vers le midi, brille *Jean de Milan*, le
flambeau des astres (Sirius). Sur cette étoile-là, 10
voici ce que les bergers racontent. Il paraît qu'une
nuit *Jean de Milan*, avec les *Trois rois* et la *Poussinière* (la Pléiade), furent invités à la noce d'une
étoile de leurs amies. La *Poussinière*, plus pressée,
partit, dit-on, la première, et prit le chemin haut. 15
Regardez-la, là-haut, tout au fond du ciel. Les
Trois rois coupèrent plus bas et la rattrapèrent;
mais ce paresseux de *Jean de Milan*, qui avait dormi
trop tard, resta tout à fait derrière, et furieux, pour
les arrêter, leur jeta son bâton. C'est pourquoi les 20
Trois rois s'appellent aussi le *Bâton de Jean de
Milan*. . . . Mais la plus belle de toutes les étoiles,
maîtresse, c'est la nôtre, c'est l'*Étoile du berger*, qui
nous éclaire à l'aube quand nous sortons le troupeau, et aussi le soir quand nous le rentrons. Nous 25
la nommons encore *Maguelonne*, la belle Maguel-
lonne qui court après *Pierre de Provence* (Saturne)
et se marie avec lui tous les sept ans.

— Comment! berger, il y a donc des mariages
d'étoiles?

— Mais oui, maîtresse.

Et comme j'essayais de lui expliquer ce que c'é-
5 tait que ces mariages, je sentis quelque chose de
frais et de fin peser légèrement sur mon épaule.
C'était sa tête alourdie de sommeil qui s'appuyait
contre moi avec un joli froissement de rubans, de
dentelles et de cheveux ondés. Elle resta ainsi sans
10 bouger jusqu'au moment où les astres du ciel pâli-
rent, effacés par le jour qui montait. Moi, je la
regardais dormir, un peu troublé au fond de mon
être, mais saintement protégé par cette claire nuit
qui ne m'a jamais donné que de belles pensées. Au-
15 tour de nous, les étoiles continuaient leur marche
silencieuse, dociles comme un grand troupeau; et
par moments je me figurais qu'une de ces étoiles,
la plus fine, la plus brillante, ayant perdu sa route,
était venue se poser sur mon épaule pour dor-
20 mir. . . .

LE SIÈGE DE BERLIN

Nous remontions l'avenue des Champs-Élysées avec le docteur V . . ., demandant aux murs troués d'obus, aux trottoirs défoncés par la mitraille, l'histoire de Paris assiégé, lorsque un peu avant d'arriver au rond-point de l'Étoile, le docteur s'arrêta, et me montrant une de ces grandes maisons de coin si pompeusement groupées autour de l'Arc de triomphe:

— Voyez-vous, me dit-il, ces quatre fenêtres fermées là-haut sur ce balcon? Dans les premiers jours du mois d'août, ce terrible mois d'août de l'an dernier, si lourd d'orages et de désastres, je fus appelé là pour un cas d'apoplexie foudroyante. C'était chez le colonel Jouve, un cuirassier du premier Empire, vieil entêté de gloire et de patriotisme, qui dès le début de la guerre était venu se loger aux Champs-Élysées, dans un appartement à balcon. . . . Devinez pourquoi? Pour assister à la rentrée triomphale de nos troupes. . . . Pauvre vieux! La nouvelle de Wissembourg lui arriva comme il sortait de table. En lisant le nom de Napoléon au bas de ce bulletin de défaite, il était tombé foudroyé.

Je trouvai l'ancien cuirassier étendu de tout son

long sur le tapis de la chambre, la face sanglante et
inerte comme s'il avait reçu un coup de massue sur
la tête. Debout, il devait être très grand; couché, il
avait l'air immense. De beaux traits, des dents
5 superbes, une toison de cheveux blancs tout frisés,
quatre-vingts ans qui en paraissaient soixante. . . .
Près de lui sa petite-fille à genoux et toute en larmes.
Elle lui ressemblait. A les voir l'un à côté de l'autre, on eût dit deux belles médailles grecques frap-
10 pées à la même empreinte, seulement l'une antique,
terreuse, un peu effacée sur les contours, l'autre res-
plendissante et nette, dans tout l'éclat et le velouté
de l'empreinte nouvelle.

La douleur de cette enfant me toucha. Fille et
15 petite-fille de soldat, elle avait son père à l'état-
major de Mac-Mahon, et l'image de ce grand vieillard étendu devant elle évoquait dans son esprit
une autre image non moins terrible. Je la rassurai
de mon mieux; mais, au fond, je gardais peu d'es-
20 poir. Nous avions affaire à une belle et bonne
hémiplégie, et, à quatre-vingts ans, on n'en revient
guère. Pendant trois jours, en effet, le malade
resta dans le même état d'immobilité et de stupeur. . . . Sur ces entrefaites, la nouvelle de
25 Reichshoffen arriva à Paris. Vous vous rappelez
de quelle étrange façon. Jusqu'au soir, nous crûmes tous à une grande victoire, vingt mille Prussiens tués, le prince royal prisonnier. . . Je ne

sais par quel miracle, quel courant magnétique,
un écho de cette joie nationale alla chercher notre
pauvre sourd-muet jusque dans les limbes de sa
paralysie; toujours est-il que ce soir-là, en m'approchant de son lit, je ne trouvai plus le même   5
homme.   L'œil était presque clair, la langue moins
lourde.   Il eut la force de me sourire et bégaya deux
fois:

— Vic . . . toi . . . re!

— Oui, colonel, grande victoire! . . .   10

Et à mesure que je lui donnais des détails sur le
beau succès de Mac-Mahon, je voyais ses traits se
détendre, sa figure s'éclairer. . . .

Quand je sortis, la jeune fille m'attendait, pâle
et debout devant la porte.   Elle sanglotait.   15

— Mais il est sauvé! lui dis-je en lui prenant les
mains.

La malheureuse enfant eut à peine le courage de
me répondre.   On venait d'afficher le vrai Reichshoffen, Mac-Mahon en fuite, toute l'armée écra-   20
sée. . . .   Nous nous regardâmes consternés.   Elle
se désolait en pensant à son père.   Moi, je trem-
blais en pensant au vieux.   Bien sûr, il ne résiste-
rait pas à cette nouvelle secousse. . . .   Et cependant comment faire? . . .   Lui laisser sa joie, les   25
illusions qui l'avaient fait revivre! . . .   Mais
alors il fallait mentir.

— Eh bien, je mentirai! me dit l'héroïque fille en

essuyant vite ses larmes, et, toute rayonnante, elle
rentra dans la chambre de son grand-père.

C'était une rude tâche qu'elle avait prise là. Les
premiers jours on s'en tira encore. Le bonhomme
5 avait la tête faible et se laissait tromper comme un
enfant. Mais avec la santé ses idées se firent plus
nettes. Il fallut le tenir au courant du mouvement
des armées, lui rédiger des bulletins militaires. Il
y avait pitié vraiment à voir cette belle enfant pen-
10 chée nuit et jour sur sa carte d'Allemagne, piquant
de petits drapeaux, s'efforçant de combiner toute
une campagne glorieuse; Bazaine sur Berlin, Frossard en Bavière, Mac-Mahon sur la Baltique. Pour
tout cela elle me demandait conseil, et je l'aidais
15 autant que je pouvais; mais c'est le grand-père
surtout qui nous servait dans cette invasion imaginaire. Il avait conquis l'Allemagne tant de fois
sous le premier Empire! Il savait tous les coups
d'avance: «Maintenant voilà où ils vont aller. . . .
20 Voilà ce qu'on va faire . . .» et ses prévisions se
réalisaient toujours, ce qui ne manquait pas de le
rendre très fier.

Malheureusement nous avions beau prendre des
villes, gagner des batailles, nous n'allions jamais as-
25 sez vite pour lui. Il était insatiable, ce vieux! . . .
Chaque jour, en arrivant, j'apprenais un nouveau
fait d'armes:

— Docteur, nous avons pris Mayence, me disait

la jeune fille en venant au-devant de moi avec un sourire navré, et j'entendais à travers la porte une voix joyeuse qui me criait:

— Ça marche! ça marche! . . . Dans huit jours nous entrerons à Berlin.   5

A ce moment-là, les Prussiens n'étaient plus qu'à huit jours de Paris. . . . Nous nous demandâmes d'abord s'il ne valait pas mieux le transporter en province; mais, sitôt dehors, l'état de la France lui aurait tout appris, et je le trouvais encore trop 10 faible, trop engourdi de sa grande secousse pour lui laisser connaître la vérité. On se décida donc à rester.

Le premier jour de l'investissement, je montai chez eux — je me souviens — très ému, avec cette 15 angoisse au cœur que nous donnaient à tous les portes de Paris fermées, la bataille sous les murs, nos banlieues devenues frontières. Je trouvai le bonhomme assis sur son lit, jubilant et fier:

— Eh bien, me dit-il, le voilà donc commencé ce 20 siège!

Je le regardai stupéfait:

— Comment, colonel, vous savez? . . .

Sa petite-fille se tourna vers moi:

— Eh! oui, docteur. . . . C'est la grande nou- 25 velle. . . . Le siège de Berlin est commencé.

Elle disait cela en tirant son aiguille, d'un petit air si posé, si tranquille. . . . Comment se serait-il

douté de quelque chose? Le canon des forts, il ne
pouvait pas l'entendre. Ce malheureux Paris,
sinistre et bouleversé, il ne pouvait pas le voir. Ce
qu'il apercevait de son lit, c'était un pan de l'Arc
5 de triomphe, et, dans sa chambre, autour de lui,
tout un bric-à-brac du premier Empire bien fait
pour entretenir ses illusions. Des portraits de maréchaux, des gravures de batailles, le roi de Rome
en robe de baby; puis de grandes consoles toutes
10 raides, ornées de cuivres à trophées, chargées de
reliques impériales, des médailles, des bronzes, un
rocher de Sainte-Hélène sous globe, des miniatures
représentant la même dame frisottée, en tenue de
bal, en robe jaune, des manches à gigots et des
15 yeux clairs, — et tout cela, les consoles, le roi de
Rome, les maréchaux, les dames jaunes, avec la
taille montante, la ceinture haute, cette raideur
engoncée qui était la grâce de 1806. . . . Brave
colonel! c'est cette atmosphère de victoires et con-
20 quêtes, encore plus que tout ce que nous pouvions
lui dire, qui le faisait croire si naïvement au siège de
Berlin.

A partir de ce jour, nos opérations militaires se
trouvèrent bien simplifiées. Prendre Berlin, ce n'é-
25 tait plus qu'une affaire de patience. De temps en
temps, quand le vieux s'ennuyait trop, on lui lisait
une lettre de son fils, lettre imaginaire bien entendu,
puisque rien n'entrait plus dans Paris, et que, de-

puis Sedan, l'aide de camp de Mac-Mahon avait
été dirigé sur une forteresse d'Allemagne. Vous
figurez-vous le désespoir de cette pauvre enfant
sans nouvelles de son père, le sachant prisonnier,
privé de tout, malade peut-être, et obligée de le 5
faire parler dans des lettres joyeuses, un peu courtes,
comme pouvait en écrire un soldat en campagne,
allant toujours en avant dans le pays conquis?
Quelquefois la force lui manquait; on restait des
semaines sans nouvelles. Mais le vieux s'inquié- 10
tait, ne dormait plus. Alors vite arrivait une lettre
d'Allemagne qu'elle venait lui lire gaîment près de
son lit, en retenant ses larmes. Le colonel écoutait
religieusement, souriait d'un air entendu, approu-
vait, critiquait, nous expliquait les passages un peu 15
troubles. Mais où il était beau surtout, c'est dans
les réponses qu'il envoyait à son fils:

— N'oublie jamais que tu es Français, lui disait-
il. . . . Sois généreux pour ces pauvres gens. Ne
leur fais pas l'invasion trop lourde. . . .   20

Et c'étaient des recommandations à n'en plus
finir, d'adorables prêchi-prêcha sur le respect des
propriétés, la politesse qu'on doit aux dames, un
vrai code d'honneur militaire à l'usage des conqué-
rants. Il y mêlait aussi quelques considérations 25
générales sur la politique, les conditions de la paix
à imposer aux vaincus. Là-dessus, je dois le dire,
il n'était pas exigeant:

— L'indemnité de guerre, et rien de plus. . . .
A quoi bon leur prendre des provinces? . . . Est-ce
qu'on peut faire de la France avec de l'Allemagne? . . .

5   Il dictait cela d'une voix ferme, et l'on sentait
tant de candeur dans ses paroles, une si belle foi
patriotique, qu'il était impossible de ne pas être
ému en l'écoutant.

Pendant ce temps-là, le siège avançait toujours,
10 pas celui de Berlin, hélas! . . . C'était le moment
du grand froid, du bombardement, des épidémies,
de la famine. Mais, grâce à nos soins, à nos efforts,
à l'infatigable tendresse qui se multipliait autour
de lui, la sérénité du vieillard ne fut pas un instant
15 troublée. Jusqu'au bout je pus lui avoir du pain
blanc, de la viande fraîche. Il n'y en avait que
pour lui, par exemple; et vous ne pouvez rien imaginer de plus touchant que ces déjeuners de grand-
père, si innocemment égoïstes, — le vieux sur son
20 lit, frais et riant, la serviette au menton, près de
lui sa petite-fille, un peu pâlie par les privations,
guidant ses mains, le faisant boire, l'aidant à manger toutes ces bonnes choses défendues. Alors
animé par le repas, dans le bien-être de sa chambre
25 chaude, la bise d'hiver au dehors, cette neige qui
tourbillonnait à ses fenêtres, l'ancien cuirassier se
rappelait ses campagnes dans le Nord, et nous racontait pour la centième fois cette sinistre retraite

de Russie où l'on n'avait à manger que du biscuit
gelé et de la viande de cheval.

— Comprends-tu cela, petite? nous mangions du
cheval!

Je crois bien qu'elle le comprenait. Depuis deux 5
mois, elle ne mangeait pas autre chose. . . . De
jour en jour cependant, à mesure que la convalescence approchait, notre tâche autour du malade devenait plus difficile. Cet engourdissement de tous
ses sens, de tous ses membres, qui nous avait si 10
bien servis jusqu'alors, commençait à se dissiper.
Deux ou trois fois déjà, les terribles bordées de la
porte Maillot l'avaient fait bondir, l'oreille dressée
comme un chien de chasse; on fut obligé d'inventer
une dernière victoire de Bazaine sous Berlin, et des 15
salves tirées en cet honneur aux Invalides. Un
autre jour qu'on avait poussé son lit près de la
fenêtre — c'était, je crois, le jeudi de Buzenval —
il vit très bien des gardes nationaux qui se massaient
sur l'avenue de la Grande-Armée.   20

— Qu'est-ce que c'est donc que ces troupes-là?
demanda le bonhomme, et nous l'entendions grommeler entre ses dents:

— Mauvaise tenue! mauvaise tenue!

Il n'en fut pas autre chose; mais nous comprîmes 25
que dorénavant il fallait prendre de grandes pré-
cautions. Malheureusement on n'en prit pas assez.

Un soir, comme j'arrivais, l'enfant vint à moi toute troublée:

— C'est demain qu'ils entrent, me dit-elle.

La chambre du grand-père était-elle ouverte? Le fait est que depuis, en y songeant, je me suis rappelé qu'il avait, ce soir-là, une physionomie extraordinaire. Il est probable qu'il nous avait entendus. Seulement, nous parlions des Prussiens, nous; et le bonhomme pensait aux Français, à cette entrée triomphale qu'il attendait depuis si longtemps, — Mac-Mahon descendant l'avenue dans les fleurs, dans les fanfares, son fils à côté du maréchal, et lui, le vieux, sur son balcon, en grande tenue comme à Lutzen, saluant les drapeaux troués et les aigles noires de poudre. . . .

Pauvre père Jouve! Il s'était sans doute imaginé qu'on voulait l'empêcher d'assister à ce défilé de nos troupes, pour lui éviter une trop grande émotion. Aussi se garda-t-il bien de parler à personne; mais le lendemain, à l'heure même où les bataillons prussiens s'engageaient timidement sur la longue voie qui mène de la porte Maillot aux Tuileries, la fenêtre de là-haut s'ouvrit doucement, et le colonel parut sur le balcon avec son casque, sa grande latte, toute sa vieille défroque glorieuse d'ancien cuirassier de Milhaud. Je me demande encore quel effort de volonté, quel sursaut de vie l'avait ainsi mis sur pied et harnaché. Ce qu'il y a de sûr, c'est qu'il

était là, debout derrière la rampe, s'étonnant de
trouver les avenues si larges, si muettes, les persien-
nes des maisons fermées, Paris sinistre comme un
grand Lazaret, partout des drapeaux, mais si singu-
liers, tout blancs avec des croix rouges, et personne 5
pour aller au-devant de nos soldats.

Un moment il put croire qu'il s'était trompé. . . .

Mais non! là-bas, derrière l'Arc de triomphe, c'é-
tait un bruissement confus, une ligne noire qui
s'avançait dans le jour levant. . . . Puis, peu à 10
peu, les aiguilles des casques brillèrent, les petits
tambours d'Iéna se mirent à battre, et sous l'Arc
de l'Étoile, rythmée par le pas lourd des sections,
par le heurt des sabres, éclata la marche triomphale
de Schubert! . . .   15

Alors, dans le silence morne de la place, on entendit un cri, un cri terrible:

— Aux armes! . . . aux armes! . . . les Prussiens.

Et les quatre uhlans de l'avant-garde purent voir 20
là-haut, sur le balcon, un grand vieillard chanceler
en remuant les bras, et tomber raide. Cette fois, le
colonel Jouve était bien mort.

LE CHATEAU-NEUF DES PAPES—AVIGNON.

LA MULE DU PAPE

De tous les jolis dictons, proverbes ou adages,
dont nos paysans de Provence passementent leurs
discours, je n'en sais pas un plus pittoresque ni
plus singulier que celui-ci. A quinze lieues autour
5 de mon moulin, quand on parle d'un homme ran-
cunier, vindicatif, on dit: « Cet homme-là! méfiez-
vous! . . . il est comme la mule du Pape, qui garde
sept ans son coup de pied. »

J'ai cherché bien longtemps d'où ce proverbe pou-
10 vait venir, ce que c'était que cette mule papale et
ce coup de pied gardé pendant sept ans. Personne
ici n'a pu me renseigner à ce sujet, pas même Francet Mamaï, mon joueur de fifre, qui connaît pourtant son légendaire provençal sur le bout du doigt.
15 Francet pense comme moi qu'il y a là-dessous quelque ancienne chronique du pays d'Avignon; mais
il n'en a jamais entendu parler autrement que par
le proverbe. . . .

— Vous ne trouverez cela qu'à la bibliothèque
20 des Cigales, m'a dit le vieux fifre en riant.

L'idée m'a paru bonne, et comme la bibliothèque
des Cigales est à ma porte, je suis allé m'y enfermer
pendant huit jours.

C'est une bibliothèque merveilleuse, admirablement montée, ouverte aux poètes jour et nuit, et
desservie par de petits bibliothécaires à cymbales
qui vous font de la musique tout le temps. J'ai
passé là quelques journées délicieuses, et, après une 5
semaine de recherches, — sur le dos, — j'ai fini par
découvrir ce que je voulais, c'est-à-dire l'histoire de
ma mule et de ce fameux coup de pied gardé pendant sept ans. Le conte en est joli quoique un peu
naïf, et je vais essayer de vous le dire tel que je l'ai 10
lu hier matin dans un manuscrit couleur du temps,
qui sentait bon la lavande sèche et avait de grands
fils de la Vierge pour signets.

Qui n'a pas vu Avignon du temps des Papes, n'a
rien vu. Pour la gaieté, la vie, l'animation, le train 15
des fêtes, jamais une ville pareille. C'étaient, du
matin au soir, des processions, des pèlerinages, les
rues jonchées de fleurs, tapissées de hautes lices,
des arrivages de cardinaux par le Rhône, bannières
au vent, galères pavoisées, les soldats du Pape qui 20
chantaient du latin sur les places, les crécelles des
frères quêteurs; puis, du haut en bas des maisons
qui se pressaient en bourdonnant autour du grand
palais papal comme des abeilles autour de leur
ruche, c'était encore le tic tac des métiers à dentel- 25
les, le va-et-vient des navettes tissant l'or des cha-
subles, les petits marteaux des ciseleurs de burettes,
les tables d'harmonie qu'on ajustait chez les luthiers,

les cantiques des ourdisseuses; par là-dessus le bruit
des cloches, et toujours quelques tambourins qu'on
entendait ronfler, là-bas, du côté du pont.   Car
chez nous, quand le peuple est content, il faut qu'il
5 danse, il faut qu'il danse; et comme en ce temps-là
les rues de la ville étaient trop étroites pour la farandole, fifres et tambourins se postaient sur le
pont d'Avignon, au vent frais du Rhône, et jour et
nuit l'on y dansait, l'on y dansait. . . . Ah! l'heu-
10 reux temps! l'heureuse ville! Des hallebardes qui
ne coupaient pas; des prisons d'État où l'on mettait
le vin à rafraîchir. Jamais de disette; jamais de
guerre. . . . Voilà comment les Papes du Comtat
savaient gouverner leur peuple; voilà pourquoi leur
15 peuple les a tant regrettés! . . .

Il y en a un surtout, un bon vieux, qu'on appelait
Boniface. . . . Oh! celui-là, que de larmes on a
versées en Avignon quand il est mort! C'était un
prince si aimable, si avenant! Il vous riait si bien
20 du haut de sa mule! Et quand vous passiez près de
lui, — fussiez-vous un pauvre petit tireur de garance ou le grand viguier de la ville, — il vous don-
nait sa bénédiction si poliment! Un vrai pape
d'Yvetot, mais d'un Yvetot de Provence, avec quel-
25 que chose de fin dans le rire, un brin de marjolaine
à sa barrette, et pas la moindre passion. . . . La
seule passion qu'on lui ait jamais connue, à ce bon
père, c'était sa vigne, — une petite vigne qu'il avait

plantée lui-même, à trois lieues d'Avignon, dans les
myrtes de Château-Neuf.

Tous les dimanches, en sortant de vêpres, le digne
homme allait lui faire sa cour; et quand il était là-
haut, assis au bon soleil, sa mule près de lui, ses 5
cardinaux tout autour étendus aux pieds des sou-
ches, alors il faisait déboucher un flacon de vin du
cru, — ce beau vin, couleur de rubis qui s'est appelé depuis le Château-Neuf des Papes, — et il le
dégustait par petits coups, en regardant sa vigne 10
d'un air attendri.   Puis, le flacon vidé, le jour tombant, il rentrait joyeusement à la ville, suivi de
tout son chapitre; et, lorsqu'il passait sur le pont
d'Avignon, au milieu des tambours et des farandoles, sa mule, mise en train par la musique, prenait un 15
petit amble sautillant, tandis que lui-même il màr-
quait le pas de la danse avec sa barrette, ce qui scan-
dalisait fort ses cardinaux, mais faisait dire à tout
le peuple:

— Ah! le bon prince!   Ah! le brave pape! 20

Après sa vigne de Château-Neuf, ce que le pape
aimait le plus au monde, c'était sa mule.   Le bonhomme en raffolait de cette bête-là.   Tous les soirs
avant de se coucher il allait voir si son écurie était
bien fermée, si rien ne manquait dans sa mangeoire, 25
et jamais il ne se serait levé de table sans faire préparer sous ses yeux un grand bol de vin à la française, avec beaucoup de sucre et d'aromates, qu'il

allait lui porter lui-même, malgré les observations
de ses cardinaux. . . . Il faut dire aussi que la
bête en valait la peine. C'était une belle mule noire
mouchetée de rouge, le pied sûr, le poil luisant, la
5 croupe large et pleine, portant fièrement sa petite
tête sèche toute harnachée de pompons, de nœuds,
de grelots d'argent, de bouffettes; avec cela douce
comme un ange, l'œil naïf, et deux longues oreilles,
toujours en branle, qui lui donnaient l'air bon en-
10 fant. . . . Tout Avignon la respectait, et, quand
elle allait dans les rues, il n'y avait pas de bonnes
manières qu'on ne lui fît; car chacun savait que
c'était le meilleur moyen d'être bien en cour, et
qu'avec son air innocent, la mule du Pape en avait
15 mené plus d'un à la fortune, à preuve Tistet Védène
et sa prodigieuse aventure.

Ce Tistet Védène était, dans le principe, un
effronté galopin, que son père, Guy Védène, le
sculpteur d'or, avait été obligé de chasser de
20 chez lui, parce qu'il ne voulait rien faire et dé-
bauchait les apprentis. Pendant six mois, on le vit
traîner sa jaquette dans tous les ruisseaux d'Avignon, mais principalement du côté de la maison
papale; car le drôle avait depuis longtemps son
25 idée sur la mule du Pape, et vous allez voir que
c'était quelque chose de malin. . . . Un jour que
Sa Sainteté se promenait toute seule sous les remparts avec sa bête, voilà mon Tistet qui l'aborde,

et lui dit en joignant les mains d'un air d'admiration:

— Ah! mon Dieu! grand Saint-Père, quelle brave
mule vous avez là! . . . Laissez un peu que je la
regarde. . . . Ah! mon Pape, la belle mule! . . . 5
L'empereur d'Allemagne n'en a pas une pareille.

Et il la caressait, et il lui parlait doucement
comme à une demoiselle:

— Venez çà, mon bijou, mon trésor, ma perle
fine, , , , 10

Et le bon Pape, tout ému, se disait dans lui-
même:

— Quel bon petit garçonnet! . . . Comme il est
gentil avec ma mule!

Et puis le lendemain savez-vous ce qui arriva? 15
Tistet Védène troqua sa vieille jaquette jaune contre une belle aube en dentelles, un camail de soie
violette, des souliers à boucles, et il entra dans la
maîtrise du Pape, où jamais avant lui on n'avait
reçu que des fils de nobles et des neveux de cardi- 20
naux. . . . Voilà ce que c'est que l'intrigue! . . .
Mais Tistet ne s'en tint pas là.

Une fois au service du Pape, le drôle continua le
jeu qui lui avait si bien réussi. Insolent avec tout
le monde, il n'avait d'attentions ni de prévenances 25
que pour la mule, et toujours on le rencontrait par
les cours du palais avec une poignée d'avoine ou
une bottelée de sainfoin, dont il secouait gentiment

les grappes roses en regardant le balcon du Saint-
Père, d'un air de dire: « Hein! . . . pour qui
ça? . . . » Tant et tant qu'à la fin le bon Pape,
qui se sentait devenir vieux, en arriva à lui laisser
5 le soin de veiller sur l'écurie et de porter à la mule
son bol de vin à la française; ce qui ne faisait pas
rire les cardinaux.

Ni la mule non plus, cela ne la faisait pas rire. . . .
Maintenant, à l'heure de son vin, elle voyait tou-
10 jours arriver chez elle cinq ou six petits clercs de
maîtrise qui se fourraient vite dans la paille avec
leur camail et leurs dentelles; puis, au bout d'un
moment, une bonne odeur chaude de caramel et
d'aromates emplissait l'écurie, et Tistet Védène ap-
15 paraissait portant avec précaution le bol de vin à
la française. Alors le martyre de la pauvre bête
commençait.

Ce vin parfumé qu'elle aimait tant, qui lui tenait
chaud, qui lui mettait des ailes, on avait la cruauté
20 de le lui apporter, là, dans sa mangeoire, de le lui
faire respirer; puis, quand elle en avait les narines
pleines, passe, je t'ai vu! La belle liqueur de flamme
rose s'en allait toute dans le gosier de ces garne-
ments. . . . Et encore, s'ils n'avaient fait que lui
25 voler son vin; mais c'étaient comme des diables,
tous ces petits clercs, quand ils avaient bu! . . .
L'un lui tirait les oreilles, l'autre la queue; Quiquet
lui montait sur le dos, Béluguet lui essayait sa bar-

rette, et pas un de ces galopins ne songeait que d'un
coup de reins ou d'une ruade la brave bête aurait
pu les envoyer tous dans l'étoile polaire, et même
plus loin. . . . Mais non! On n'est pas pour rien
la mule du Pape, la mule des bénédictions et des 5
indulgences. . . . Les enfants avaient beau faire,
elle ne se fâchait pas; et ce n'était qu'à Tistet Védène qu'elle en voulait. . . . Celui-là, par exemple,
quand elle le sentait derrière elle, son sabot lui démangeait, et vraiment il y avait bien de quoi. Ce 10
vaurien de Tistet lui jouait de si vilains tours! Il
avait de si cruelles inventions après boire! . . .

Est-ce qu'un jour il ne s'avisa pas de la faire monter avec lui au clocheton de la maîtrise, là-haut, tout
là-haut, à la pointe du palais! . . . Et ce que je 15
vous dis là n'est pas un conte, deux cent mille Pro-
vençaux l'ont vu. Vous figurez-vous la terreur de
cette malheureuse mule, lorsque, après avoir tourné
pendant une heure à l'aveuglette dans un escalier
en colimaçon et grimpé je ne sais combien de mar- 20
ches, elle se trouva tout à coup sur une plate-forme
éblouissante de lumière, et qu'à mille pieds au-dessous d'elle elle aperçut tout un Avignon fantastique,
les baraques du marché pas plus grosses que des
noisettes, les soldats du Pape devant leur caserne 25
comme des fourmis rouges, et là-bas, sur un fil d'argent, un petit pont microscopique où l'on dansait,
où l'on dansait? . . . Ah! pauvre bête! quelle pani-

que! Du cri qu'elle en poussa, toutes les vitres du
palais tremblèrent.

— Qu'est-ce qu'il y a? qu'est-ce qu'on lui fait?
s'écria le bon Pape en se précipitant sur son balcon.

Tistet Védène était déjà dans la cour, faisant
mine de pleurer et de s'arracher les cheveux:

— Ah! grand Saint-père, ce qu'il y a! Il y a que
votre mule. . . . Mon Dieu! qu'allons-nous devenir? Il y a que votre mule est montée dans le
clocheton. . . .

— Toute seule?

— Oui, grand Saint-Père, toute seule. . . . Tenez! regardez-la, là-haut. . . . Voyez-vous le bout
de ses oreilles qui passe? . . . On dirait deux hirondelles. . . .

— Miséricorde! fit le pauvre Pape en levant les
yeux. . . . Mais elle est donc devenue folle! Mais
elle va se tuer. . . . Veux-tu bien descendre, malheureuse! . . .

Pécaïre! elle n'aurait pas mieux demandé, elle,
que de descendre . . .; mais par où? L'escalier, il
n'y fallait pas songer: ça se monte encore, ces
choses-là; mais, à la descente, il y aurait de quoi se
rompre cent fois les jambes. . . . Et la pauvre
mule se désolait, et, tout en rôdant sur la plate-
forme avec ses gros yeux pleins de vertige, elle
pensait à Tistet Védène:

— Ah! bandit, si j'en réchappe . . . quel coup
de sabot demain matin!

Cette idée de coup de sabot lui redonnait un peu
de cœur au ventre; sans cela elle n'aurait pas pu se
tenir. . . . Enfin on parvint à la tirer de là-haut;   5
mais ce fut toute une affaire. Il fallut la descendre
avec un cric, des cordes, une civière. Et vous pensez quelle humiliation pour la mule d'un pape de se
voir pendue à cette hauteur, nageant des pattes
dans le vide comme un hanneton au bout d'un fil. 10
Et tout Avignon qui la regardait.

La malheureuse bête n'en dormit pas de la nuit.
Il lui semblait toujours qu'elle tournait sur cette
maudite plate-forme, avec les rires de la ville au-
dessous, puis elle pensait à cet infâme Tistet Vé-   15
dène et au joli coup de sabot qu'elle allait lui détacher le lendemain matin. Ah! mes amis, quel
coup de sabot! De Pampelune on en verrait la
fumée. . . . Or, pendant qu'on lui préparait cette
belle réception à l'écurie, savez-vous ce que faisait 20
Tistet Védène? Il descendait le Rhône en chantant sur une galère papale et s'en allait à la cour
de Naples avec la troupe de jeunes nobles que la
ville envoyait tous les ans près de la reine Jeanne
pour s'exercer à la diplomatie et aux belles ma-   25
nières. Tistet n'était pas noble; mais le Pape tenait à le récompenser des soins qu'il avait don-
nés à sa bête, et principalement de l'activité qu'il

venait de déployer pendant la journée du sauvetage.

C'est la mule qui fut désappointée le lendemain!

5 — Ah! le bandit! il s'est douté de quelque
chose! . . . pensait-elle en secouant ses grelots avec
fureur . . .; mais c'est égal, va, mauvais! tu le re-
trouveras au retour, ton coup de sabot, . . . je te
le garde!

10 Et elle le lui garda.

Après le départ de Tistet, la mule du Pape re-
trouva son train de vie tranquille et ses allures
d'autrefois. Plus de Quiquet, plus de Béluguet à
l'écurie. Les beaux jours du vin à la française
15 étaient revenus, et avec eux la bonne humeur, les
longues siestes, et le petit pas de gavotte quand elle
passait sur le pont d'Avignon. Pourtant, depuis
son aventure, on lui marquait toujours un peu de
froideur dans la ville. Il y avait des chuchotements
20 sur sa route; les vieilles gens hochaient la tête, les
enfants riaient en se montrant le clocheton. Le bon
Pape lui-même n'avait plus autant de confiance en
son amie, et, lorsqu'il se laissait aller à faire un petit
somme sur son dos, le dimanche, en revenant de la
25 vigne, il gardait toujours cette arrière-pensée: «Si
j'allais me réveiller là-haut, sur la plate-forme!»
La mule voyait cela et elle en souffrait, sans rien
dire; seulement, quand on prononçait le nom de

Tistet Védène devant elle, ses longues oreilles fré-
missaient, et elle aiguisait avec un petit rire le fer
de ses sabots sur le pavé. . . .

Sept ans se passèrent ainsi; puis, au bout de ces
sept années, Tistet Védène revint de la cour de   5
Naples. Son temps n'était pas encore fini là-bas;
mais il avait appris que le premier moutardier du
Pape venait de mourir subitement en Avignon, et,
comme la place lui semblait bonne, il était arrivé en
grande hâte pour se mettre sur les rangs.   10

Quand cet intrigant de Védène entra dans la salle
du palais, le Saint-Père eut peine à le reconnaître,
tant il avait grandi et pris du corps. Il faut dire
aussi que le bon Pape s'était fait vieux de son côté,
et qu'il n'y voyait pas bien sans besicles.   15

Tistet ne s'intimida pas:

— Comment! grand Saint-Père, vous ne me re-
connaissez plus? C'est moi, Tistet Védène!

— Védène? . . .

— Mais oui, vous savez bien . . . celui qui por- 20
tait le vin français à votre mule.

— Ah! oui . . . oui . . . je me rappelle. . . .
Un bon petit garçonnet, ce Tistet Védène! . . . Et
maintenant, qu'est-ce qu'il veut de nous?

— Oh! peu de chose, grand Saint-Père. . . . Je 25
venais vous demander. . . . A propos, est-ce que
vous l'avez toujours, votre mule? Et elle va
bien? . . . Ah! tant mieux! . . . Je venais vous

demander la place du premier moutardier qui vient
de mourir.

— Premier moutardier, toi! . . . Mais tu es trop
jeune. Quel âge as-tu donc?

5 — Vingt ans deux mois, illustre pontife, juste
cinq ans de plus que votre mule. . . . Ah! palme
de Dieu, la brave bête! . . . Si vous saviez comme
je l'aimais cette mule-là! . . . comme je me suis
langui d'elle en Italie! . . . Est-ce que vous ne me
10 la laisserez pas voir?

— Si, mon enfant, tu la verras, fit le bon Pape
tout ému. . . . Et puisque tu l'aimes tant, cette
brave bête, je ne veux plus que tu vives loin d'elle.
Dès ce jour, je t'attache à ma personne en qualité
15 de premier moutardier. . . . Mes cardinaux crieront, mais tant pis! j'y suis habitué. . . . Viens
nous trouver demain, à la sortie de vêpres, nous te
remettrons les insignes de ton grade en présence de
notre chapitre, et puis . . . je te mènerai voir la
20 mule, et tu viendras à la vigne avec nous deux . . .
hé! hé! Allons! va. . . .

Si Tistet Védène était content en sortant de la
grande salle, avec quelle impatience il attendit la
cérémonie du lendemain, je n'ai pas besoin de vous
25 le dire. Pourtant il y avait dans le palais quelqu'un
de plus heureux encore et de plus impatient que
lui: c'était la mule. Depuis le retour de Védène
jusqu'aux vêpres du jour suivant, la terrible bête

ne cessa de se bourrer d'avoine et de tirer au mur
avec ses sabots de derrière. Elle aussi se préparait
pour la cérémonie. . . .

Et donc, le lendemain, lorsque vêpres furent di-
tes, Tistet Védène fit son entrée dans la cour du   5
palais papal. Tout le haut clergé était là, les cardinaux en robes rouges, l'avocat du diable en velours noir, les abbés de couvent avec leurs petites
mitres, les marguilliers de Saint-Agricol, les camails
violets de la maîtrise, le bas clergé aussi, les soldats 10
du Pape en grand uniforme, les trois confréries de
pénitents, les ermites du mont Ventoux avec leurs
mines farouches et le petit clerc qui va derrière en
portant la clochette, les frères flagellants nus jusqu'à la ceinture, les sacristains fleuris en robes de   15
juges, tous, tous, jusqu'aux donneurs d'eau bénite,
et celui qui allume, et celui qui éteint . . . il n'y
en avait pas un qui manquât. . . . Ah! c'était
une belle ordination! Des cloches, des pétards, du
soleil, de la musique, et toujours ces enragés de   20
tambourins qui menaient la danse, là-bas, sur le
pont d'Avignon. . . .

Quand Védène parut au milieu de l'assemblée, sa
prestance et sa belle mine y firent courir un murmure d'admiration. C'était un magnifique Pro-   25
vençal, mais des blonds, avec de grands cheveux
frisés au bout et une petite barbe follette qui semblait prise aux copeaux de fin métal tombé du burin

de son père, le sculpteur d'or. . . . Ce jour-là,
pour faire honneur à sa nation, il avait remplacé
ses vêtements napolitains par une jaquette bordée
de rose à la provençale, et sur son chaperon trem-
5 blait une grande plume d'ibis de Camargue.

Sitôt entré, le premier moutardier salua d'un air
galant, et se dirigea vers le haut perron, où le Pape
l'attendait pour lui remettre les insignes de son
grade: la cuiller de buis jaune et l'habit de safran.
10 La mule était au bas de l'escalier, toute harnachée
et prête à partir pour la vigne. . . . Quand il
passa près d'elle, Tistet Védène eut un bon sourire
et s'arrêta pour lui donner deux ou trois petites ta-
pes amicales sur le dos, en regardant du coin de l'œil
15 si le Pape le voyait. La position était bonne. . . .
La mule prit son élan:

— Tiens! attrape, bandit! Voilà sept ans que
je te le garde!

Et elle vous lui détacha un coup de sabot si ter-
20 rible, si terrible, que de Pampelune même on en vit
la fumée, un tourbillon de fumée blonde où volti-
geait une plume d'ibis; tout ce qui restait de l'infortuné Tistet Védène! . . .

Les coups de pied de mule ne sont pas aussi fou-
25 droyants d'ordinaire; mais celle-ci était une mule
papale; et puis, pensez donc! elle le lui gardait depuis sept ans. . . . Il n'y a pas de plus bel exemple de rancune ecclésiastique.

NOTES

The heavy figures refer to pages, light ones to lines. Proper nouns of geographical or historical interest, not explained in the Notes, will be found in the Vocabulary. Other proper nouns have been omitted.

LA DERNIÈRE CLASSE

3. *Subtitle.* By the treaty of Frankfort on the Main, May 20, 1871, France was compelled to give up to Germany Alsace and a part of Lorraine, two provinces situated along the west bank of the Rhine River. Although many of their inhabitants spoke only German, they were French at heart. The substitution of the German for the French as the official language of the annexed provinces began on July 1, 1872.

1. Ce matin-là. July 1, 1872, having fallen on a Monday, the exact date would be Saturday, June 29, 1872. In France, the weekly holiday takes place on Thursday.

2. grand'peur. In Old French, adjectives, derived from Latin adjectives ending in *is*, *e*, had only one form for the masculine and the feminine. Later they followed the general rule, i. e., an *e* mute was added to form the feminine except in a few fixed combinations such as *grand'peur*, *grand'route* (highway), *grand'-mère* (grandmother), *grand'messe* (high mass), etc. The presence of the apostrophe is explained by the fact that grammarians thought an *e* had been elided.

10. le pré Rippert, i. e., *le pré appartenant à Rippert.*

12. bien plus = *beaucoup plus.*

15. du petit grillage aux affiches. Near the main entrance of every French townhall, there is a bulletin board, protected by a wire screen, on which official news and information of local interest are posted.

16. Depuis deux ans, c'est . . . commandature. Notice (1) that the first clause is used for emphasis and may be omitted in translation; (2) that the construction of the second is inverted because of the many subjects; (3) that the past participle *venues* agrees in gender with the first subject *nouvelles*, because it sums up the others; (4) that the word *commandature* is not French, but intended for the German word *Kommandanture*, military quarters. Translate as if the text were as follows: *Depuis* (For) *deux ans, toutes les mauvaises nouvelles (les batailles perdues, les réquisitions, les ordres de la commandature) nous sont venues de là.*

4, 1. The adverb **encore** has various meanings according to the context. Translate here: " what is the matter now? "

5. **Tu y arriveras . . .** *Y* is here redundant and anticipates *à ton école.* Omit in translation. This construction is somewhat colloquial in French and is very common in Daudet's short stories. This frequency may be explained by the fact that Daudet was an exuberant Southerner who knew Provençal, a language in which such construction is expected. Cf. the Spanish language.

6. **toujours** usually means *always;* here, " anyhow ". — **ton école,** " that school of yours." The use of *ton* expresses the feeling of disgust and scorn experienced by the patriotic blacksmith while reading the poster announcing the substitution of the German language for the French.

8. **la . . . cour de M. Hamel.** In many French villages the living quarters of the schoolmaster or schoolmistress are adjoining to or above the schoolroom. We shall see on page 9, line 14, that Mr. Hamel and his sister were living upstairs.

9. **il se faisait un grand tapage,** an impersonal construction for *un grand tapage se faisait.* Notice the reflexive form instead of the passive voice in English.

23. **Vous pensez** = *Vous pouvez vous imaginer.*

5, 1. **J'enjambai le banc.** In the old-fashioned schools, as many as eight children are seated side by side on a long bench running along a sloping desk of the same length, with a special compartment in which pupils put their books and stationery.

5. **jours d'inspection.** There are inspectors of different grades visiting the schools now and then. Cf. the American School

Superintendents. — **ou de distribution de prix.** At the end of each school year, the best students get prizes which generally consist of books. Cf. the American Commencement Day.

7. **quelque chose d'extraordinaire . . .** Notice (1) that *quelque chose, quelqu'un, rien, quoi, ce que,* are followed by *de* when preceding an adjective or an adverb; (2) *quelque chose,* used as a pronoun, is masculine although the word *chose* is feminine.

12. **l'ancien . . .** The French mayor and postman had already been replaced by Germans.

19. **sa chaire,** a kind of a raised platform on which a chair and a desk are placed.

6, 4. **Comme je m'en voulais . . . du temps perdu . . .** = *Comme je me reprochais le temps perdu . . .*

6. **la Saar** (in French *la Sarre*) is a tributary of the Moselle River which in its turn flows into the Rhine.

9. **qui me feraient . . . à quitter,** an awkward construction for *qu'il me ferait* (impersonal) *beaucoup de peine de quitter.* See **peine** in Vocabulary.

10. **C'est comme M. Hamel,** " I was experiencing the same feeling towards Mr. Hamel."

20. **à cette école.** See note, p. 4, l. 5.

21. **comme une façon,** " a way as it were."

23. **la patrie qui s'en allait,** i. e., *la patrie, représentée par M. Hamel, qui s'en allait.*

24. **J'en étais là de mes réflexions . . .** " My thoughts had reached that stage. . . ."

27. **règle des participes.** He refers here to the rule concerning the agreement of past participles conjugated with *avoir.*

7, 1. **à me balancer** = *me balançant.*

6. **ce que c'est** = *ce qui arrive* (impersonal).

9. **ç'a été** = *cela a été.*

11. **ces gens-là,** scornful for *les Allemands, les Prussiens.*

14. **encore,** " really " or " however." See note, p. 4, l. 1.

19. **à la terre** = *aux champs* or *dans les champs.*

8, 3. **la clef de sa prison.** In a footnote of the Paris edition, Daudet quotes a thought expressed by his friend, the great poet

Frédéric Mistral, the immortal author of *Mirèio* (in French *Mireille*) and the reviver of Provençal literature: S'il (i. e., le peuple) tient sa langue, — Il tient la clé qui de ses chaînes le délivre.

7. **lui non plus,** "he neither." The disjunctive pronoun *lui* is used instead of *il* because the subject is separated from its verb by *non plus.*

10. **nous le faire entrer dans la tête** = *le faire entrer dans nos têtes.*

12. **l'écriture,** i. e., *la leçon d'écriture,* also called *leçon de calligraphie.*

15. **Cela faisait comme** . . . *ils ressemblaient à* . . .

16. **des petits drapeaux.** The strictly grammatical form would be *de petits drapeaux.*

17. **la tringle,** the iron rod above the front of the desk.

23. **cela encore** = *cela aussi.*

28. **eux aussi.** Notice the emphatic use of the disjunctive personal pronoun *eux.* See note, p. 4, l. 5.

9, 5. Pensez! "Just think of it." — **Depuis quarante ans il était là.** To express that an action or a state has been going on for some time and is still going on, the French use respectively the present and the imperfect of the indicative with the preposition *depuis* before the expression of time, whereas the English use the past indefinite and the pluperfect with the preposition *for.* Ex.: *il est là depuis quarante ans,* he has been there for forty years; *il était là depuis quarante ans,* he had been there for forty years.

7. **toute pareille.** *Tout,* although an adverb, agrees in gender and number when modifying a feminine adjective beginning with a consonant or aspirate *h.* There are many examples in this book.

19. **Chantèrent le Ba, Be,** . . , "Spelled aloud all together."

10. 1. l'Angelus (sound the *s*) is the ringing of the church bell (not the clock) in the morning, noon and evening, to invite pious people to say a Latin prayer beginning with the word *Angelus* (angel). Louis XI, of France, is said to have introduced this custom. The word *Angelus* has become familiar to every one through the famous picture by J. F. Millet.

LA CHÈVRE DE M. SEGUIN

11. *Dedication.* Pierre Gringoire (1475–1538) was a satirical and dramatic poet whose best farce, *Le Jeu du prince des Sots et mère Sotte,* was performed for the first time on the Market Place in Paris on Shrove Tuesday, 1512. Victor Hugo made him a character of his famous novel, *Notre-Dame de Paris.* The poet whom Daudet calls here Pierre Gringoire was probably a certain Pierre Cressot (1815–1860).

" . . . Cressot était l'auteur d'*Antonia,* un poème. De quoi vivait ce pauvre *Gringoire?* Personne ne le savait. Un beau jour, un ami de province lui laissa par testament une petite rente: ce jour-là Cressot mangea et en mourut." *Trente ans de Paris,* par Alphonse Daudet. (These words are in the vocabulary.)

The fact that the real Gringoire was a poet of the sixteenth century accounts for the use of a few obsolete expressions found below, such as *pourpoint, chausses, écus à la reine, barrette.*

9. **ce que t'ont valu dix ans . . .** = *ce que dix ans . . . t'ont valu.*

10. **Apollo.** The usual spelling in French is *Apollon.* As he was the god of poetry, *les pages du sire Apollo* are *les poètes.*

12. **donc** after an imperative expresses emphasis. *Fais-toi donc . . .* Do become . . .

13. **écus à la rose,** rials or ryals (gold coins). — **Tu auras ton couvert chez Brébant** = *tu dîneras chaque jour chez Brébant* (a famous Parisian restaurant).

15. **les jours de première** = *les jours de première représentation,* first nights.

12, 22. **Esméralda** is the heroine in Hugo's celebrated novel, *Notre-Dame de Paris.*

13, 14. **Les chèvres, il leur faut du large.** The strictly grammatical form would be: *Aux chèvres, il leur faut du large.*

19. **Mé!** an onomatopœia imitating the bleating of the goat.

25. **je me languis.** The usual form is *je languis.*

27. **mon Dieu!** Students must remember that such exclama-

tions as this have no stronger meaning than " Dear me! " " Good gracious! " etc.

14, 1. **du coup** = *sous le coup de l'émotion.*

21. **Le loup se moque bien de tes cornes.** Lit.: " The wolf indeed laughs at your horns." Freely: " What does the wolf care about your horns! " — **Il m'a mangé des biques** = *il a mangé des biques qui m'appartenaient.*

15, 3. **Qu'est-ce qu'on leur fait donc à mes chèvres?** Note the redundant construction explained in note, p. 4, l. 5. Translate freely: " Some one must be ' hoodooing ' my goats."

4. **Encore une que le loup va me manger** = *Encore une de mes chèvres que le loup va manger.*

14. **Je crois bien** = *je le crois facilement, je n'en suis pas surpris.*

20. **rien . . . d'aussi joli.** See note, p. 5, l. 7.

26. **Plus de corde . . .** elliptical for *Elle n'avait plus de corde . . .* or *Il n'y avait plus de corde. . . .*

16, 3. **C'était bien autre chose que le gazon . . .** = *Elle était bien* (much) *meilleure que le gazon . . .* or *Le gazon . . . ne pouvait lui être comparé.*

4. **Et les fleurs donc! . . .** " And what about the flowers!"

17, 1. **de se voir** = *en se voyant.* Daudet seems to prefer the use of the infinitive preceded by *de* to that of the present participle preceded by *en.*

22. **Hou! hou!** an onomatopœia imitating the howling of the wolf.

20, 2. **en Provence.** Do not confound the proper noun *la Provence,* which designates a Southern province of ancient France, with the common noun *la province.*

3. **la cabro de moussu Seguin. . . .** This Provençal proverb would be expressed in French as follows: *la chèvre de monsieur Seguin qui se battit toute la nuit avec le loup et puis le matin le loup la mangea.*

LE SECRET DE MAÎTRE CORNILLE

21. *Title.* **Maître,** a title of courtesy given to prosperous country people. Translate by *Mr.*

4. **mon moulin.** See Biography, page viii.

5. **quelque vingt ans.** *Quelque* before a number does not take the plural mark.

14. **Autre temps,** dialectal for *Autrefois.* — **il s'y faisait.** See note p. 4, l. 9.

16. **les gens des mas.** *Mas* is the Provençal word for *métairie, ferme* (farm-house).

24. **le Dia hue! Dia,** "haw!" (to make beasts of burden turn to the left). Frédéric Mistral in his short story *Li Carretié* writes:

"De Marseille à Lyon, les charretiers marchaient à gauche de leurs chevaux ou pour parler comme eux, *à dia* et *de la main*, parce que, de ce temps-là, on tenait les traits du côté gauche des bêtes. . . . Mais l'usage de Provence ne dépassait pas Lyon. A Lyon . . . il fallait changer de main et tenir les guides à la droite. . . ."—Translated by A. Daudet.

Hue, "gee up!" "giddap!" (to make beasts of burden start or hasten).

22, 2. **payaient le muscat** = *nous offraient le muscat.*

5. **la noire nuit,** dialectal for *la nuit noire.*

7. **voyez-vous** = *vous voyez.* French parenthetical sentences generally have the form of a question.

11. **Tarascon,** a Southern French city made famous all over the world by Daudet's novel: *Tartarin de Tarascon.* — **Tout beau, tout nouveau!** = *ce qui est nouveau, est beau.* Cf. the English proverb: "A new broom always sweeps clean."

18. **Plus de muscat!** See note, p. 15, l. 26.

19. **Le mistral avait beau souffler,** "the strong north-west wind was blowing in vain" . . . or "though the strong north-west wind did blow." Littré explains the idiom *avoir beau* + infinitive as follows: "Originally *avoir beau* meant 'to have a good opportunity' and by an irony easily explained, it came to mean 'to have ample opportunity without taking advantage of it; to have a useless opportunity,' then 'to do a thing uselessly; to do it in vain.'"

23, 4. **huit jours,** the regular French expression for "a week."

19. **son grand,** i. e., *son grand-père.*

24. **Il lui arrivait souvent de faire ses quatre lieues à pied,** " He would often walk four leagues."

24, 4. **On trouvait très mal . . . que . . .** = *on trouvait qu'il était très mal . . . que . . .* The use of the subjunctive *s'en allât* is thus more easily explained.

10. **nous autres.** Omit *autres* in translation; it is used after *nous, vous, eux,* to mark a sharp contrast.

18. **allaient toujours leur train,** i. e., *continuaient à tourner.*

19. **devant** is used here instead of the adverb *auparavant,* i. e., *avant l'installation des minoteries.*

22. **Bonnes vêpres,** dialectal for *Bonsoir.*

23. **Ça va donc toujours, la meunerie?** = *Est-ce que la meunerie va toujours* or *continue à aller ?*

25, 4. **Quant à mettre le nez . . .** colloquial for *Quant à pénétrer . . .*

22. **s'étaient rendus amoureux.** The usual expression would be: *étaient tombés amoureux.*

25. **ce . . . passereau de Vivette . . . dans ma maison,** an awkward construction for *cela m'aurait fait plaisir de voir trotter dans ma maison ce joli passereau de Vivette.* Omit the last *de* in translation.

26, 1. **en toucher deux mots** = *en parler.*

2. **il faut voir . . .** for *il aurait fallu voir . . .* or *vous auriez dû voir . . .*

11. **que** depends on *ajoutant* (adding) or a word of similar meaning understood.

13. **Pensez que le sang . . .** i. e., *vous pouvez bien penser que la colère . . .*

21. **prrrt!** an onomatopœia imitating the noise made by a flock of birds starting to fly.

24. **venait de sortir,** had just gone out. The idiom *venir de,* used in the present and imperfect indicative and followed by an infinitive, is generally translated by "to have just" followed by the past participle. Observe that this meaning does not fit lines 26–27 below: *l'idée vint aux enfants d'entrer . . .* Be careful to follow

there the grammatical construction: *l'idée d'entrer . . . vint aux enfants*.

27. **voir un peu . . .** = *pour voir un peu* (just to see).

27, 20. **viraient toujours** = *continuaient à virer*.

25. **sur l'heure** = *immédiatement*.

26. **tout ce qu'il y avait de froment** = *tout le froment qu'il y avait*.

28, 1. **du vrai blé.** The strictly grammatical form would be *de vrai blé*. See note, p. 8, l. 16.

5. **Il venait de s'apercevoir.** See note, p. 26, l. 24.

8. **Pauvre de moi!** A Southern exclamation: " Poor me! " Cf. the Spanish: Pobre de mi!

15. **au beau temps,** i. e., *au temps de la prospérité*.

23. **Seigneur Dieu!** See note, p. 13, l. 27. — **Du bon blé!** See note, l. 1 above.

24. **Laissez-moi, que je le regarde** for *laissez-moi le regarder*.

29, 2. **donner à manger,** i. e., *donner quelque chose à manger* (*à moudre*, to grind). — **Pensez donc!** See note, p. 9, l. 5; also note, p. 11, l. 12.

3. **il ne s'est rien mis sous la dent** = *il n'a rien mangé*, i. e., *il n'a rien moulu* (past participle of *moudre*).

10. **C'est une justice à nous rendre:** " In justice to us *or* in our behalf, this must be said."

15. **ne prit sa suite** = *ne le remplaça*. — **Que voulez-vous!** The full sentence would be: *Que voulez-vous y faire* or *qu'on y fasse?* " What can you do about it? Who can help it? It cannot be helped."

18. **des parlements.** Before the Revolution of 1789 there were in France thirteen provincial parliaments or principal judicial courts.

LES PETITS PÂTÉS

30, 2. **la rue Turenne,** one of the streets of the old Parisian quarter, the Marais (the Marsh), so called on account of its low situation along the right bank of the Seine River, west of the former site of the Bastille.

5. **les Versaillais.** After the Germans had raised the siege of Paris (January, 1871), the leaders of the Commune (an insurrectionist movement of the radical elements) became the masters of the destiny of the capital from March to May, 1871. The seat of the regular government was at Versailles (about 15 miles south-west of Paris), whence the name of Versaillais given to the regular army, the national troops.

10. **l'île Saint-Louis.** In the center of Paris, the Seine forms two islands, l'île Saint-Louis, inhabited by very quiet people, and, west of it, a larger one, l'île de la Cité, the cradle of Paris.

19. **cette . . . silhouette blanche.** Errand boys of French pastry cooks usually wear white coats, aprons and caps.

31, 2. **la rue de Rivoli,** one of the busiest and longest streets in Paris.

8. **des premiers de l'an,** i. e., *du premier jour de l'an, du premier janvier.*

10. **aussi,** beginning a clause, is usually translated by " that is why," " therefore."

16. **Qu'est-ce que cela lui faisait à lui, la bataille?** Doubly redundant construction (see note, p. 4, l. 5), for *qu'est-ce que la bataille lui faisait ?* " What did he care about the battle? "

18. **Les Bonnicar.** Observe that proper names except those of very illustrious families, take no *s* in the plural.

21. **Il se fit.** See note, p. 4, l. 9.

22. **des pupilles de la République,** the wards, the cadets of the Commune.

32, 3. **lui.** Observe that the pronoun *lui* must be used instead of *il* when in conjunction with another subject.

5. **en furent quittes pour la peur,** " escaped unhurt, but were badly frightened."

8. **de faire un bout de route,** " to go a short distance."

33, 6. **la faim, que midi creuse de ses douze coups répétés =** *la faim aiguisée* (sharpened) *par les douze coups répétés de midi.*

23. **Neuilly,** a very pretty suburb, west of Paris.

34, 3. **du pont Louis-Philippe,** one of the bridges connecting the island Saint-Louis with the right bank of the river.

5. **dépavé,** deprived of its pavement (which had been used to build barricades).

6. **citoyen.** The communists, copying the old Commune of 1792–1794, had banished the word *monsieur* from their vocabulary and had replaced it by *citoyen* (citizen).

12. **Rigault,** the chief of police under the Commune.

13. **quatre hommes de bonne volonté,** " four volunteers."

19. **la ligne,** i. e., *l'infanterie* (here national foot soldiers).

26. **ne faisaient qu'en rire,** " only laughed at it."

35, 1. **les Champs-Élysées,** the largest and most beautiful avenue of Paris.

13. **le pétrole.** Women were seen pouring kerosene oil on the flames which were destroying Parisian homes and public buildings. — **d'entendre** = *à force* (by dint) *d'entendre.*

36, 5. **Félix Pyat** and **Delescluze** were two leaders of the insurrectionist elements.

7. **la cour de l'Orangerie,** " the Court of the Orange Trees," a remarkable construction in the park of Versailles.

L'Enfant Espion

37, 6. **le quartier du Temple** adjoins the old quarter, the Marais. See note, p. 30, l. 2.

23. **le siège,** i. e., *le siège de Paris.* The Germans besieged Paris from September, 1870, to January, 1871.

38, 4. **Aussi.** See note, p. 31, l. 10.

5. **sa moustache,** i. e., *son air furieux.*

6. **le petit Stenne lui,** . . . emphatic construction for *quant au* (as to) *petit Stenne, il* . . .

9. **plus de mutuelle!** *L'instruction mutuelle* is a method of teaching formerly very much favored by which the elder pupils were helping the schoolmaster to teach the younger. Cf. the English monitorial or Lancasterian system.

16. **du 96ᵉ,** i. e., *du quatre-vingt-seizième régiment.*

19. **les queues.** The word is explained in the next paragraph, ll. 20–22:

"ces longues files qui se formaient . . . à la grille des bouchers, des boulangers" (to get the rations of meat and bread allotted to every inhabitant).

26. **les parties de bouchon, . . . le jeu de galoche.** The game of cork is played as follows: a cork is set standing endwise on the ground and each player puts a piece of money of some value on the top of it. Then, standing at a fixed distance from the pile, they try in turns to knock it down by throwing at it another coin of different shape or color. When one succeeds in doing it, he gets all the pieces of money that are nearer to his coin than to the cork. Then the players try to throw the coins they used as quoits, between the upset cork and the scattered remaining pieces of money so that it shall fall nearer to the latter than to the former. If they succeed, they win them. The game continues till the last piece is won in this way.

39, 3. **la place du Château-d'Eau** is to-day called *la place de la République*, one of the finest squares in Paris. — **Lui.** Note the emphatic use of the disjunctive personal pronoun *lui* instead of *il*.

4. **il faut trop d'argent,** i. e., *il faut avoir beaucoup d'argent (pour jouer au bouchon ou à la galoche).*

5. **Avec des yeux!** i. e., *avec de très grands yeux.*

18. **du coup,** See note, p. 14, l. 1.

40, 1. **la porte de Flandres,** a gate of Paris, in the north-east direction, leading to Aubervilliers, a suburb of about 30,000 inhabitants.

7. **Nous allons voir avec mon petit frère à . . .** =*Je vais voir avec mon petit frère à . . .* or *Mon petit frère et moi, nous allons voir à . . .*

14. **C'est le grand qui riait!** i. e., *Vous auriez dû voir comme le grand riait.*

27. **une grand'garde de francs-tireurs.** *Grand'garde.* See note, p. 3, l. 2. — The *francs-tireurs* were volunteers not belonging to the regular army and waging a guerilla war against the Germans.

41, 2. **Soissons,** a city about 68 miles north-east of Paris. — **eut beau recommencer.** See note, p. 22, l. 19.

8. **Allons, . . . ne pleurons plus.** *Allons* is here an exclama-

tion. Translate: " C⚬me." — **ne pleurons plus,** for *ne pleurez plus*.

15. **un feu de veuve,** i. e., *un feu de pauvre*.

18. **la goutte** = *un verre d'eau-de-vie*.

23. **y aura du tabac . . .**   Observe (1) that the *c* of *tabac* is silent; (2) that this is a slang expression equivalent to the English: " there will be something doing."

24. **le mot,** i. e., *le mot d'ordre* (the countersign, the password).

25. **ce . . . Bourget,** a small village, north of Paris, known for the hotly contested engagements of October 28 and December 24, 1870. The events related in this story are supposed therefore to have taken place at the last named date.

42, 13. **fit** = *dit*.

18. **deux moustaches jaunes** for *une moustache jaune*, i. e., *une tête*.

43, 9. **Champagne.** *La Champagne* is an eastern French province, famous for its sparkling wines.

11. **On leur versa à boire** = *on leur versa quelque chose à boire.* Cf. note, p. 29, l. 2.

25. **au pays,** *dans son pays*.

26. **qu'il se fût dit** = *comme s'il s'était (se fût) dit*. When *que* replaces the conjunction *si*, it is followed by the subjunctive.

44, 8. **au Marais.** See note, p. 30, l. 2.

17. **ne fit que rire.** See note, p. 34, l. 26.

20. **F . . . le camp!** = *Fichez le camp*, a vulgar expression for *Allez-vous-en vite*.

27. **Bas chôli,** German pronunciation for *Pas joli (Not nice)*.

45, 17. **la Courneuve,** a suburb near Aubervilliers. See note, p. 40, l. 1.

20. **d'entendre** for *à force d'entendre* or *en entendant*. See note, p. 35, l. 13.

25. **après les portes,** i. e., *après être rentrés dans Paris par la porte de Flandres*. See note, p. 40, l. 1.

46, 10. **On venait de recevoir.** See note, p. 26, l. 24.

19. **tous ses forts,** i. e., *tous les forts autour de Paris*.

47, 9. **L'enfant n'y tint plus.** See *tenir* in Vocabulary.

LES VIEUX

49, 1. **père Azan.** Old Azan was probably the postman. Daudet is supposed to be living at his old mill. See Biography, p. viii.

5. **cette Parisienne de la rue Jean-Jacques,** i. e., *cette lettre de Paris venant de la rue Jean-Jacques Rousseau* (where the General Post-Office is situated).

8. **voyez plutôt,** i. e., *je vous en laisse juge.* The following text in italics is the contents of the letter he has just received.

50, 5. **que veux-tu?** See note, p. 29, l. 15. — **eux, c'est le grand âge** . . . supply *qui les tient.* See note, p. 8, l. 28.

8. **meunier.** See note, p. 49, l. 1.

20. **que voulez-vous faire?** for *qu'auriez-vous fait si vous aviez été à ma place?*

26. **en pleine Crau,** in the very middle of the Crau, a vast and sterile plain, south of Arles, on the eastern bank of the Rhone River. — **Il y avait bien** for *Il est vrai qu'il y avait.*

51, 20. **Sedaine,** a well known dramatist of the eighteenth century, whose best play is *Le Philosophe sans le savoir.*

24. **A . . . LORS.** The text is: *Alors saint Irénée s'écria: Je suis le froment du Seigneur. Il faut que je sois moulu par la dent de ces animaux.* The child is reading aloud the life of Saint Irénée, a bishop of Lyons, who died a martyr about the year 200 A. D.

52, 16. **Il n'y avait d'éveillé** for *il n'y avait rien d'éveillé.* See note, p. 5. l. 7.

22. **AUS . . .** The text is: *Aussitôt deux lions se précipitèrent sur lui et le dévorèrent.*

53, 23. **un tour,** i. e., *un tour de cheveux* (a front or foretop of false hair).

54, 10. **ça n'a** for *ils n'ont.*

12. **elle leur saute au visage,** it flushes their faces.

55, 7. **faisait** for *disait.*

13. **des petits rires.** See note, p. 8, l. 16.

22. **dans ces sourires fanés qui** . . . for *dans les sourires fanés de ces deux visages qui* . . .

56, 4. **déjeuné.** We are told on p. 50, l. 23, that Daudet arrived at Eyguières about 2 P. M. Therefore it cannot be a question here of the morning breakfast but of the noon meal, corresponding to the lunch in this country.

6. **Grand Dieu.** See note, p. 13, l. 27.

13. **le couvert,** elliptical for **mettez le couvert.**

15. **ne rions pas . . . et dépêchons-nous.** See note, p. 41, l. 8.

17. **Je crois bien . . .** Translate freely: " I should say . . ."

24. **à quelque heure qu'on les prenne** = *quelle que soit l'heure à laquelle vous leur rendez visite.*

26. **deux doigts** = *un peu.*

57, 1. **Et dire que . . .** = *Et croiriez-vous que . . .* — **à moi seul,** idiomatic phrase for *tout seul.*

24. **rien que pour avoir vu,** " simply because I had seen."

58, 2. **dont on voulait me faire l'ouverture** for *que l'on voulait ouvrir en mon honneur* or *à l'occasion de ma visite.*

24. **que voulez-vous!** See note, p. 29, l. 15.

59, 10. **Bien sûr . . .** = *Il est probable . . .*

11. **il faisait . . . frais.** *Faire* is used impersonally to translate *to be* with reference to the weather.

LES ÉTOILES

61, 1. **Du temps** or *au temps.* — **le Luberon** and **le Mont-de-l'Ure** (l. 5 below) are situated at the extreme western end of the French Alps on the northern bank of the Durance River.

7. **du Piémont,** of Piedmont, a north-western province of Italy.

10. **Aussi.** See note, p. 31, l. 10. — **tous les quinze jours,** the regular expression for " every other week." Cf. note, p. 23, l. 4.

13. **que** stands for *lorsque.*

18. **du pays d'en bas,** i. e., *de la vallée.*

62, 2. **s'il lui venait . . . de nouveaux galants,** the impersonal construction for *si de nouveaux galants lui venaient . . .*

9. **il se trouva** (impersonal), it happened.

10. **la grand'messe.** See note, p. 3, l. 2.

21. **mes enfants!** Remember that the subtitle of this story is *Récit d'un berger provençal*.

25. **en vacances** or *en visite*.

27. **qu'elle arrivait.** This construction is not strictly grammatical because the verb *apprendre* has two direct objects of very different nature: (a) *ça* (a pronoun); (b) a clause depending on *que*.

63, 9. **que** stands for *quand*.

64, 3. **ta bonne amie.** *Bonne amie* is the popular word for *sweetheart*.

4. **la chèvre d'or,** *the Golden Goat,* a treasure or a talisman believed to have been buried by Saracens under one of the old monuments of Provence. It is probably a reminiscence of the Golden Calf. The inhabitants of Arles believed that the Golden Goat passed every morning at daybreak on the hill of Montmajour. Those of Laudun said that on June 24, at midnight, the Golden Goat would rush out of a deep cave on the summit of St. John's Mountain (See the word *cabro* in Mistral's Lou Tresor dóu Felibrige).

5. **cette fée Estérelle.** Esterelle was a divinity of the Ligurians (the inhabitants of the ancient country lying between modern Marseilles and Genoa). In the Middle Ages, she became a Provençal fairy.

20. **faire en aller** = *faire s'en aller* (to dispel). The personal pronoun object of reflexive verbs is usually omitted when they are preceded by *faire*.

22. **que** = *comme*.

28. **la Sorgue** is a small river which takes its source from *la fontaine de Vaucluse* (Vaucluse spring), sung in immortal lines by the Italian poet Petrarch (1304–1374).

65, 2. **Le terrible, c'est . . .** = *Le pis c'était . . .* (the worst was . . .).

16. **de voir** = *en voyant.* Cf. note, p. 17, l. 1.

66, 17. **des petites flammes,** i. e., *des feux follets* (will-o'-the-wisps). For the use of *des*, see note, p. 8, l. 16.

26. **parti** = *étant parti.*

67, 2. **nous venions d'entendre.** See note, p. 26, l. 24.

12. **notre demoiselle,** dialectal for *mademoiselle* (Miss).

18. **Qu'il y en a!** = *Combien il y en a!*

22. **le Chemin de saint Jacques.** In a note of the Paris edition Daudet states that all the following details of popular astronomy are borrowed from *l'Almanach provençal,* which is published in Avignon (a southern French city).

24. **saint Jacques de Galice.** Saint James (in Spanish *Santiago*) is the patron saint of Spain. Galice (Galicia) is a north-western Spanish province.

25. **Charlemagne,** Emperor Charles the Great (742–814), the greatest historical character of the Middle Ages. His expedition against the Arabs of Spain or Saracens has remained famous by the defeat of his rear-guard at Roncevaux.

68, 4. **dont le bon Dieu ne veut pas** = *que Dieu ne veut pas.* Catholics generally use the word *Dieu* preceded by *le bon.*

9. **Milan,** a northern Italian city.

13. **une étoile de leurs amies,** i. e., *une étoile qui était une de leurs amies.*

15. **dit-on.** See note, p. 22, l. 7.

18. **ce paresseux de.** Omit *de* in translation.

Le Siège de Berlin

70, 1. **des Champs-Élysées.** See note, p. 35, l. 1.

4. **Paris assiégé.** See note, p. 37, l. 23.

5. **au rond-point de l'Étoile,** generally called Place de l'Étoile (the Square of the Star) in the center of which the Arc de Triomphe (de l'Étoile, l. 7), arises; at the western end of the Champs-Élysées.

12. **lourd . . de désastres.** The disasters referred to are the consecutive defeats of the French by the Germans at Wissembourg (August 4, 1870), at Reichshoffen (August 6) and at Gravelotte (August 16).

14. **du premier Empire,** i. e., of the reign of Napoleon I (1804–1815).

20. **La nouvelle de Wissembourg** for *La nouvelle de la défaite de Wissembourg*.

21. **Napoléon,** i. e., Napoleon III, a nephew of Napoleon I and emperor of the French from 1852 to 1870.

71, 3. **il devait être** . . . " he must have been."

9. **eût** = *aurait*.

16. **Mac-Mahon** (Edme-Patrice-Maurice), Duke of Magenta, Marshal of France, became the second President of the French Republic (1808–1893).

25. **Reichshoffen.** See note, p. 70, l. 12.

28. **le prince royal,** the Crown Prince who became Frederick III, Emperor of Germany (1831–1888).

72, 4. **toujours est-il que** . . . = *le fait est que* . . .

19. **On venait d'afficher.** See note, p. 20, l. 24.

73, 12. **Bazaine sur Berlin** . . . The young lady was following her grandfather's suggestions: Marshal Bazaine threatening the center of Germany by leading his army towards Berlin; General Frossard, the south by invading Bavaria, and Marshal Mac-Mahon, the north by attacking the provinces extending along the Baltic Sea. — **Bazaine** (Achille), a Marshal of France (1811–1888), was court-martialed and condemned as a traitor for surrendering the city of Metz to the Germans.

23. **nous avions beau.** See note, p. 22, l. 19.

28. **Mayence,** Mainz, a German city on the left bank of the Rhine.

74, 9. **sitôt dehors** = *sitôt hors de Paris* = *aussitôt qu'il aurait été hors de Paris*.

16. **que nous donnaient . . . frontières.** The logical construction would be: *que les portes de Paris fermées, la bataille sous les murs, nos banlieues devenues frontières, nous donnaient à tous.* Note the concision of this sentence.

75, 8. **le roi de Rome,** the King of Rome, the title of the son of Napoleon I and Marie-Louise; after the first abdication of his father (1814) he was given the title of Duke of Reichstadt (1811–1832).

11. **un rocher de Sainte-Hélène,** a piece of rock or more prob-

ably a reproduction of Saint Helena, a small island in the Atlantic Ocean, belonging to the English, where Napoleon I was sent after his second abdication (1815) and died (1821).

18. **la grâce de 1806,** " the style in the year 1806."

76, 1. **depuis Sedan,** *depuis la bataille de Sedan.* Sedan is a northern French town where the French were decisively defeated (September 2, 1870).

77, 1. **L'indemnité de guerre.** The truth is that France, beside losing the provinces of Alsace-Lorraine (see note, p. 3, subtitle), paid to Germany one thousand million dollars.

15. **je pus lui avoir** . . . = *je pus obtenir pour lui* . . .

17. **par exemple.** Literally: " for instance." Freely: " I must confess," " I must say."

23. **défendues.** The whole population of Paris suffered terribly from hunger during the siege (see note, p. 38, l. 19).

28. **retraite de Russie.** During the campaign against Russia in 1812, a very large number of Napoleon's soldiers perished from cold and privations.

78, 5. **Je crois bien.** See note, p. 56, l. 17. — **Depuis deux mois, elle ne mangeait pas.** See note, p. 9, l. 5.

12. **la porte Maillot** is at the extreme end of the Avenue de la Grande-Armée, a direct continuation of the Champs-Élysées towards Neuilly.

16. **aux Invalides,** *à l'Hôtel des Invalides*, a home for disabled veterans, built by Louis XIV.

18. **Buzenval,** a castle near Paris where a very bloody engagement took place on January 19, 1871.

20. **l'avenue de la Grande-Armée.** See note 12 above.

25. **Il n'en fut pas autre chose** = *il n'y eut pas autre chose* or *ce fut tout.*

79, 14. **Lutzen,** a village in Saxony where Napoleon I defeated the Russians and the Prussians in 1813.

19. **Aussi.** Note the inverted construction after *aussi* and see note, p. 31, l. 10.

22. **aux Tuileries.** The long avenue referred to is the Avenue de la Grande-Armée continued by the Avenue des Champs-

Élysées. The palace of the Tuileries, a former royal and imperial residence, was burned by the Communists. (See notes, p. 30, l. 5, and p. 35, l. 13).

26. **Milhaud** (Jean-Baptiste), a very well known general of cavalry under Napoleon I.

80, 5. **avec des croix rouges,** the flags of the Red Cross Society.

8. **l'Arc de triomphe.** See note, p. 70, l. 5.

11. **les . . . tambours d'Iéna,** i. e., *les . . . tambours alle-mands.* Colonel Jouve had heard such drums at the battle of Jena (Germany) where Napoleon I defeated the Prussians (1806).

15. **Schubert** (Franz), an Austrian composer (1797–1828).

La Mule du Pape

81. *Title.* **Mule** means both " mule " and " slipper." Here it is the former.

19. **la bibliothèque des cigales** (the locusts' library), i. e., *la campagne, la nature.*

82, 3. **de petits bibliothécaires à cymbales,** i. e., *des cigales.*

6. **sur le dos** for *couché sur le dos.*

11. **couleur du temps** is somewhat ambiguous; either " weather stained " or " sky blue."

14. **Avignon,** a southern French city, situated on the left bank of the Rhone, was the official residence of the popes during the greater part of the fourteenth century.

83, 4. **chez nous,** i. e., *en Provence.*

7. **fifres et tambourins** for *les fifres et les tambourins.* — **sur le pont d'Avignon . . . l'on y dansait.** This idea is borrowed from the popular song which French children sing while they turn in a ring:

> Sur le pont d'Avignon
> L'on y danse, l'on y danse,
> Sur le pont d'Avignon
> L'on y danse tout en rond.
> Les beaux messieurs font comme ça
> (All the children forming the ring bow in one direction)
> Et puis encore comme ça
> (They repeat the bow in the opposite direction).

And the children keep on repeating the same words except in the fifth line where the words "*les beaux messieurs*" are replaced by the name of any class or trade suggested by the leader. Of course the gestures they make after the 5th and 6th lines depend on the name of the person given in the 5th.

13. **du Comtat.** Le Comtat Venaissin, a district in southern France, the capital of which was Avignon, belonged to the popes from 1274 to 1791.

17. **Boniface** VIII was pope from 1294 to 1303; Boniface IX from 1389 to 1404, but neither lived in Avignon. — **que de larmes** = *combien de larmes.*

18. **en Avignon.** The preposition *en* is used here because it refers to the district around Avignon. If it referred to the city alone, the preposition would be *à.*

19. **il vous riait** for *il vous souriait.* Do not translate, " he laughed at you," but " he smiled upon you."

21. **fussiez-vous . . .** = *si vous étiez . . .*

24. **Yvetot.** The lords of this small town, situated in Normandy (northern France) bore the title of King from the fourteenth to the sixteenth century. It was popularized by Béranger's ballad:

> Il était un roi d'Yvetot,
> Peu connu dans l'histoire.

The name is used synonymously for a good-humored and kind-hearted petty king.

84, 15. **mise en train** = *animée, excitée.*

27. **à la française,** i. e., *préparé à la mode française.*

85, 11. **Il n'y avait pas de bonnes manières qu'on ne lui fît** = *on lui faisait toutes sortes de bonnes manières* (See *manière* in Vocabulary).

86, 4. **Laissez un peu que je la regarde.** See note, p. 28, l. 24.

22. **Tistet ne s'en tint pas là.** See *tenir* in Vocabulary.

87, 3. **Tant et tant que** = *Il fit tant et tant que* or *Il joua si bien son rôle que.*

4. **en arriva à . . .** " was led to . . ." " decided to . . ."

8. **Ni la mule non plus.** See note, p. 8, l. 7.

10. **chez elle,** i. e., *dans son écurie.*

22. **passe, je t'ai vu!** the words pronounced by jugglers or conjurers at the critical moment of the trick they are performing. Cf. the English: presto, change!

24. **S'ils n'avaient fait que lui voler son vin,** " if they had been satisfied with robbing her of her wine."

27. **Quiquet . . . Béluguet** are the names of two of the small choir boys.

88, 4. **On n'est pas pour rien la mule du Pape . . .** Translate freely: " The Pope's mule . . . is expected to be kind."

5. **des indulgences.** Indulgence here means remission by the Church of one's sins. This was promulgated by Leo X who was pope from 1513 to 1521 and became, through the protests of Luther, the starting point of the great religious schism of the sixteenth century. Notice the anachronism, as this story is supposed to take place in the fourteenth century.

6. **Les enfants avaient beau faire.** See note, p. 22, l. 19.

8. **elle en voulait.** *En vouloir à* = to bear a grudge against, to blame. See note, p. 6, l. 4. — **par exemple.** See note, p. 77, l. 17.

10. **il y avait bien de quoi,** i. e., *il y avait en effet une bonne raison pour cela.*

26. **un fil d'argent,** i. e., *le Rhône.*

89, 8. **ce qu'il y a!** for *vous me demandez ce qu'il y a.*

13. **Tenez** is an exclamation here. Translate: " See."

15. **qui passe** = *qui est visible.* — **On dirait deux hirondelles . . .** i. e., *les deux bouts d'oreille ressemblent à deux hirondelles.*

19. **Veux-tu bien descendre . . .!** " Will you come down ". . . or " come down, I say " . . .

23. **ça se monte encore, ces choses-là** = *on peut, si c'est absolument nécessaire, monter un escalier semblable.*

24. **il y aurait de quoi . . .** i. e., *on courrait le risque de . . .*

90, 3. **lui redonnait un peu de cœur au ventre,** a somewhat vulgar expression for *la réconfortait* or *lui relevait (remontait) le moral* (cheer up).

6. **ce fut toute une affaire,** " they made a great fuss about it."

12. **de la nuit,** *pendant toute la nuit.*

18. **Pampelune,** a northern Spanish town about 300 miles from Avignon, as the crow flies. Some editions have Pampéri-gouste (an imaginary place) instead of Pampelune.

22. **la cour de Naples.** Naples and Sicily formed one kingdom from 1130 to 1860, when they were annexed to the kingdom of Italy.

24. **la reine Jeanne.** Jane I was the Queen of Naples from 1343 to 1382; Jane II from 1414 to 1435. The date of the reign of the former would fit with the story.

91, 7. **c'est égal,** " that makes no difference." — **va,** is an ex-clamation here; translate: " I tell you."

23. **il se laissait aller à faire un petit somme,** "he allowed himself a short nap."

92, 7. **le premier moutardier du pape,** " the first mustard bearer of the pope." Larousse states that Pope John XXII who resided at Avignon (1316 to 1334) was very fond of mustard and would use it with every dish. He created the office of " premier moutar-dier du pape " and gave it to one of his nephews. Since then, the epithet has been applied to vainglorious persons.

10. **se mettre sur les rangs,** i. e., *devenir candidat à la position vacante.*

12. **eut peine à . . .** = *fut à peine capable de . . .*

13. **tant il avait grandi et pris du corps,** i. e., *parce qu'il avait tant grandi et grossi.*

24. **qu'est-ce qu'il veut de nous?** for *que veux-tu de moi ?*

93, 6. **palme de Dieu!** an uncommon exclamation. *Palme,* f., palm-branch, victory, triumph. See note, p. 13, l. 27.

8. **comme je me suis langui d'elle,** dialectal for *comme je me suis ennuyé loin d'elle,* " how much I missed her." Cf. note, p. 13, l. 25.

11. **Si** for *Oui* after an interrogative-negative sentence.

15. **crieront** = *protesteront.*

21. **Allons! va.** *Allons* is an exclamation here. Translate: " Now, you may go."

94, 7. **l'avocat du diable,** "the devil's advocate," the title given to the ecclesiastic designated to offer arguments against the canonization or beatification of candidates to either of these honors.

9. **Saint-Agricol,** a church in Avignon.

12. **mont Ventoux,** a mountain in the French Alps, not far from Avignon.

17. **celui qui allume et celui qui éteint.** Supply *les cierges,* the church's tapers.

20. **enragés de.** Omit *de* in translation.

26. **mais des blonds.** Southerners are generally swarthy and have dark beards and hair.

95, 4. **à la provençale,** *à la mode provençale.* Cf. note, p. 84, l. 27.

5. **Camargue.** La Camargue is an island or delta formed by the Rhone River before it empties into the Mediterranean sea.

17. **Tiens! attrape.** *Tiens* is an exclamation here. *Attrape* is for *attrape cela.* Translate: " here, catch *or* get that "; or " here, this is for you."

19. **vous** is expletive here; it is an example of the ethical dative. Omit in translation.

20. **Pampelune.** See note, p. 90, l. 18.

COMPOSITION EXERCISES

Every exercise is based on the lines of the text indicated at the head of the exercise and also on *the preceding selections*.

I

(*Page 3, lines 1 to 8*)

1. Où alliez-vous, ce matin-là?   2. Étiez-vous en avance ou en retard?   3. De quoi aviez-vous peur?   4. Qu'est-ce que M. Hamel avait dit?   5. Qu'est-ce que vous ne saviez pas?   6. Quelle idée vous vint?   7. Quel temps faisait-il, ce jour-là?

1. Where are you going?   2. I am going to (the) [1] school. 3. Am I late?   4. You are very late.   5. Mr. Hamel will scold you.   6. Are you not afraid of him?   7. He will question you.   8. You do not know the participles.   9. I have an idea.   10. The weather is clear.   11. Come with (*avec*) me.   12. Let us play truant.   13. Let us start running through the fields.   14. But what will Mr. Hamel say?

II

(*Page 5, lines 18 to 27*)

1. Où était M. Hamel?   2. Comment parla-t-il? 3. Que dit-il aux enfants?   4. Quel ordre est venu?

[1] Translate the words between parentheses.

5. D'où cet ordre est-il venu? 6. Quand le nouveau maître arrivera-t-il? 7. Aujourd'hui, qu'est-ce que M. Hamel donne aux enfants? 8. Qu'est-ce qu'il les prie de faire? 9. Qui ces paroles bouleversèrent-elles?

1. Where is Mr. Hamel? 2. He is at his desk. 3. He is upset. 4. He says a few words in a gentle voice. 5. Boys, be attentive. 6. This morning I received [1] an order from Berlin. 7. That order upset [1] me. 8. To-day I am teaching you for the last time. 9. To-morrow you will have a new master. 10. He comes from Berlin. 11. He will not teach you (the) French. 12. He will teach you only (the) German. 13. (The) French will no longer be taught in the schools of (the) Alsace and (of the) Lorraine. 14. To-day you will have your last French lesson (lesson of French).

III

(Page 8, lines 3 to 11)

1. Qu'est-ce que M. Hamel prit? 2. Que lut-il? 3. De quoi Frantz était-il étonné? 4. Qu'est-ce qui lui semblait facile? 5. Comment explique-t-il cela? 6. Qu'aurait-on dit que M. Hamel voulût faire, avant de s'en aller?

1. Take your grammars. 2. Listen to me. 3. I beg you to listen to me. 4. I am reading the lesson for to-morrow. 5. I am giving some explanations. 6. I wish

[1] Use the past indefinite.

[to] [1] give you all my knowledge.   7. Are my explanations clear (easy)?   8. Do you understand me?   9. We understand all (that which) you say.   10. Is not the lesson easy?   11. To-day it seems easy to us.   12. We are surprised.   13. To-day the school-master is giving his explanations with more patience.   14. Do they enter your heads (into the head to you)?   15. We are more attentive. 16. We listen to him.

IV

(Page 11, line 21, to page 12, line 7)

1. Avec quels animaux M. Seguin n'avait-il jamais eu de bonheur?   2. Comment les perdait-il toutes? 3. Que faisaient-elles, un beau matin?   4. Où s'en allaient-elles?   5. Que faisait le loup là-haut?   6. Est-ce que les caresses de leur maître les retenait?   7. La peur du loup les retenait-elle?   8. Quelle sorte de chèvres était-ce?   9. Que voulaient-elles à tout prix?

A. — 1. Mr. Seguin has a goat.   2. He will lose her. 3. She is an independent [sort of a] goat.   4. She likes (the) freedom.   5. She wishes no rope.   6. What does she wish [to] do?   7. Where does she wish [to] go?   8. She will go up there, on the mountain.   9. Will the caresses of her master keep her back?   10. She will not be kept back by anything.

B. — 1. She wishes the open air of the mountain at any cost.   2. But are there no wolves up there?   3. Is

---

[1] Omit the words between brackets.

she not afraid of them? 4. The fear of the wolves will not keep her back. 5. She will lose the caresses of her master. 6. Some (One) fine morning, she will break her rope. 7. She will go away on the mountain. 8. The wolves will eat her. 9. Mr. Seguin has no luck. 10. He loses all his goats in the same way.

V

(Page 15, lines 6 to 13)

1. Qu'est-ce que M. Seguin veut faire? 2. Comment appelle-t-il sa chèvre? 3. Où va-t-il l'enfermer? 4. Pourquoi l'y enferme-t-il? 5. Combien de temps y restera-t-elle? 6. Où M. Seguin l'emporta-t-il? 7. Décrivez cette étable. 8. Comment M. Seguin ferma-t-il la porte? 9. Malheureusement, qu'avait-il oublié? 10. Que fit la petite chèvre dès qu'il eut le dos tourné?

1. Mr. Seguin, where are your goats? 2. Are they in their stable? 3. Is the stable dark? 4. Do not forget that there is a window. 5. What did[1] your goats do? 6. Did[1] you take (carry) them in the dark stable? 7. Did[1] you shut them there? 8. Yes, but they did[1] not remain there. 9. We had double locked[2] the doors. 10. We were wishing [to] save them in spite of themselves. 11. Unfortunately we forgot[1] that there was[3] a window. 12. It

---

[1] Use the past indefinite.
[2] Use the pluperfect.
[3] Use the imperfect indicative.

always [1] remains open.   13. No sooner have we taken (carried) them in their dark stable than they break their ropes (rope).   14. They go away through (by) the window.   15. You have no luck with your goats.

VI

(*Page* 17, *lines* 10 *to* 21)

1. Qu'est-ce que le vent fit tout-à-coup?   2. De quelle couleur la montagne devint-elle?   3. Était-ce le matin qui s'annonçait?   4. Alors, que dit la petite chèvre?   5. Quel sentiment éprouva-t-elle et que fit-elle?   6. En bas, que voyait-on?   7. Dans quoi disparaissait le clos de M. Seguin?   8. Quelle partie de la maisonnette voyait-on?   9. Qu'est-ce que la petite chèvre écouta?   10. Qu'est-ce qu'elle éprouva?   11. Quel oiseau la frôla en passant?   12. Que fit-elle?   13. Puis, qu'est-ce qu'on entendit dans la montagne?

1. (The) evening is coming [on].   2. We no longer see the mountains.   3. They have disappeared in the mist.   4. Down below the meadows and the fields are turning purple.   5. Do you see the roofs of the cottages?   6. We see nothing but a little smoke.   7. Everything is hidden by the fog.   8. We listen to some bells.   9. (The) flocks are going home.   10. Don't you feel (yourself) sad?   11. The wind and the air of the mountain are becoming cool.   12. Some birds will pass.   13. They will graze us with their wings.   14. Do not be surprised.   15. Suddenly, you will hear some howlings.   16. Do not start.

[1] Put *always* (*toujours*) after the verb.

VII

(*Page* 18, *line* 21, *to page* 19, *line* 3)

1. Qu'est-ce que Blanquette sentit? 2. Un moment, qu'est-ce qu'elle se rappela? 3. Qu'avait fait celle-ci? 4. Et le matin, qu'est-ce qui était arrivé? 5. Que se dit Blanquette en se rappelant cette histoire? 6. Puis, que fit-elle? 7. Comment tomba-t-elle en garde? 8. Avait-elle l'espoir de tuer le loup? 9. Que voulait-elle seulement voir?

A. — 1. The brave little goat said [1] to the old [goat]: 2. If I saw [2] some wolves, should I fight [3] with them? 3. Would they eat [3] me at once? 4. Should I allow [3] myself to be eaten? 5. Should I stand [3] on the defensive? 6. Should I have [3] the hope of killing the wolves? 7. If you saw [2] a wolf, you would be [3] brave. 8. You would not feel [3] [as if you were] (yourself) lost. 9. You would change [3] your mind. 10. You would remember [3] my story.

B. — 1. If two goats saw [2] a wolf, they would say: [3] 2. If we fought, [2] should we kill [3] him? 3. It is better [to] change our minds. 4. It is better [to] allow ourselves to be killed immediately. 5. We should not hold [3] out very long. 6. We change our minds. 7. We shall not fight. 8. We have no hope. 9. We are lost. 10. The wolf will kill us at once. 11. He will eat us. 12. We cannot kill a wolf.

[1] Use the past definite.
[2] Use the imperfect indicative.
[3] Use the present conditional.

VIII

(Page 21, line 17, to page 22, line 2)

1. Quelle sorte d'endroit est le pays du vieux joueur de flûte aujourd'hui? 2. Que s'y faisait-il, autrefois? 3. Qu'est-ce que les gens des fermes y apportaient? 4. De quelle distance venaient-ils? 5. Qu'est-ce qu'il y avait autour du village? 6. De quoi ces collines étaient-elles couvertes? 7. Que voyait-on de droite et de gauche? 8. Que faisaient les petits ânes? 9. Toute la semaine, qu'entendait-on sur la hauteur?

1. Where is the windmill of Mr. Cornille? 2. It is on the height. 3. The hill is covered with (of) pine trees. 4. The sails of the windmills turn the whole week. 5. The millers' boys are loading the donkeys with sacks. 6. On the right and on the left we see nothing but (some) lines of donkeys. 7. They go up to the windmills or they go down to the villages. 8. [On] (the) Sundays, we go up to the windmill on the hill. 9. We do not hear the cracking of the whips. 10. We do not see the sails turning with the cold north-west wind. 11. You do not hear the flapping of the canvas of the sails. 12. We see no donkeys along the roads. 13. The donkeys do not hear the "to the left! Giddap!" of the millers.

IX

(Page 23, lines 1 to 14)

1. Quelle était la profession de maître Cornille? 2. Depuis quand vivait-il dans la farine? 3. Aimait-il

son état?   4. Qu'est-ce qui l'avait rendu comme fou?
5. Que le vit-on faire pendant huit jours?   6. Qui
ameutait-il autour de lui?   7. Que criait-il?   8. Comment criait-il cela?   9. Que disait-il?   10. Selon (*according to*) lui, de quoi les minotiers se servaient-ils
pour faire la farine?   11. Selon lui, la vapeur est-elle
une invention du bon Dieu ou du diable?   12. De quoi
maître Cornille se servait-il pour faire la farine?   13. Selon lui, le mistral et la tramontane sont-ils la respiration du bon Dieu ou du diable?   14. Écoutait-on ces
belles paroles?

1. The old millers are crazy.   2. They say: the owners
of the steam mills are (some) rascals.   3. They will poison
all the villages of Provence.   4. The steam mills are (some)
inventions of the Evil one.   5. Do not make use of their
flour. 6. It will poison you.   7. The owner of a steam mill
makes use of the steam.   8. We make use of the wind.
9. We have been working for (we work since) sixty-eight
years with [the help of] the north-west wind and the north
wind.   10. The windmills are (some) inventions of God.
11. Make your bread with our flour.   12. It does not
poison people (the world).   13. These old millers are shouting those words with all their might.   14. They are arousing the villages.   15. They say (some) beautiful words.
16. But nobody will listen to the praises of their flour.

X

(Page 27, line 21, to page 28, line 7)

1. Qu'est-ce que les enfants revinrent conter au vieux joueur de flûte? 2. Étaient-ils joyeux? 3. Quel sentiment Mamaï éprouva-t-il en les entendant? 4. Où courut-il? 5. Que leur dit-il? 6. Que convinrent-ils de faire? 7. Portèrent-ils leur froment au moulin immédiatement? 8. Que fait tout le village? 9. Où arrivent Mamaï et ses voisins? 10. Que portent les ânes? 11. Le moulin était-il ouvert ou fermé? 12. Qui était devant la porte? 13. Sur quoi était-il assis? 14. Dans quelle attitude était-il? 15. Pourquoi pleurait-il?

A. — 1. Tell me what (that which) you have seen. 2. Tell (it to) me in a few words. 3. We have just entered Mr. Cornille's mill. 4. We have just found out his secret. 5. His wheat is not (any) real wheat. 6. His bags of wheat are (some) bags of plaster. 7. His donkey does not carry (any) wheat; it carries (some) plaster. 8. Do not lose a minute. 9. Run to the neighbors. 10. Tell (to) them the secret of the miller in a few words. 11. Let us load our donkeys with (of) bags of wheat. 12. Let us take all the wheat that there is in the village to Mr. Cornille's windmill. 13. No sooner said than done.

B. — 1. We shall start at once. 2. Up there we shall see the old miller. 3. He will return all in tears. 4. He will sit down in front of his house. 5. The doors of the mill will be wide open. 6. The miller will weep [with his] (the) head in his hands.   7. We shall be heart-broken to (of) see him weep. 8. The donkeys will arrive at the door of the mill. 9. Mr. Cornille will see them. 10. He will weep no more. 11. He will not perceive that his secret has been found out. 12. No sooner said than done.

XI

(Page 30, line 14, to page 31, line 6)

1. Qu'est-ce qu'on entendait ce matin-là dans le vieux quartier du Marais?   2. Malgré cela, qu'est-ce que ce quartier gardait? 3. Qu'est-ce qu'il y avait dans l'air?   4. Que voyait-on au fond des cours?   5. Qui jouait devant les portes? 6. A quel jeu jouaient-elles? 7. Qui est-ce qui trottait au milieu de la chaussée déserte? 8. Quel parfum la tourtière du mitron répandait-elle? 9. Quel aspect tout cela donnait-il au quartier? 10. Dans quelle rue l'animation du quartier semblait-elle s'être répandue?   11. Qu'est-ce qu'on y traînait? 12. A quoi travaillait-on?   13. Que voyait-on à chaque pas? 14. Qui s'affairait? 15. Tout cela influença-t-il le petit pâtissier?

A. — 1. The Marais is an old quarter of Paris. 2. [On] (the) Sundays, (the) children play shuttlecock in the court-yards.   3. At each step, you see (some) groups of little girls in their Sunday finery. 4. At the streets' corners, there are (some) rounds of small children. 5. The road-ways are deserted. 6. The aspect of the old district is peaceful. 7. Who is trotting in the middle of the street?

8. That little silhouette is that of a pastry cook. 9. His pastry is hot. 10. It sends forth (spreads) a nice odor.

B. — 1. But [on] the morning of a battle, the old quarter loses its peaceful appearance. 2. The bustle is spreading. 3. Do you hear the distant calls of the bugles? 4. They work (One works) at the barricades at the streets' corners. 5. They drag (One drags) (some) cannons. 6. (Some) groups are bestirring themselves. 7. (Some) militia men, losing their heads (the head), are trotting on the roadway of (the) Rivoli street. 8. You hear the firing of the battle. 9. Are the courtyards of the district deserted? 10. Aren't the children playing? 11. No, this is the morning of a battle.

XII

(Page 32, line 25, to page 33, line 11)

1. Pourquoi M. Bonnicar fut-il scandalisé ce jour-là? 2. Que regardait-il? 3. De quel oiseau la vieille pendule était-elle surmontée? 4. Montrez que c'était une bonne pendule. 5. Que faisaient les enfants? 6. Qu'est-ce qu'ils guettaient? 7. Parlait-on beaucoup? 8. Comment la salle à manger paraissait-elle? 9. Pourquoi? 10. Qu'est-ce qu'il y avait sur la nappe? 11. Comment les serviettes étaient-elles pliées?

A. — 1. Mr. Bonnicar's dining room is large. 2. The tablecloth is on the table. 3. The silverware is old. 4. The napkins are white and stiff. 5. They are folded in [the shape of] cones. 6. It is twelve o'clock. 7. The clock of the dining room is repeating the twelve strokes of noon.

8. That clock is old.   9. But it never goes fast.   10. It is never slow.   11. Two herons surmount it.   12. They are stuffed.

B — 1. Does not the pastry cook's apprentice turn the corner?   2. The children will be watching for him.   3. They will be hungry (have hunger).   4. They will be yawning.   5. The dining room will appear to them larger than usual.   6. They will look at the clock.   7. Is it fast?   8. Is it slow?   9. They will watch for the twelve strokes of noon.   10. They will also watch for the bell.   11. The clock and the bell will remain mute.   12. The children will be scandalized.   13. They will be sad.   14. They will remain mute.   15. The conversation will lag.

XIII

(Page 35, lines 10 to 16)

1. Qu'est-ce que le malheureux Bonnicar croyait faire?   2. Décrivez l'état dans lequel il était.   3. Où se traînait-il?   4. Qui marchait à ses côtés?   5. Qu'est-ce qu'elles sentaient?   6. Quels mots M. Bonnicar répétait-il?   7. Que pensait-on autour de lui?

A. — 1. We are becoming crazy.   2. We believe that we are dreaming.   3. We are at the extreme end of the column.   4. Two old witches are dragging themselves along between us.   5. One stinks [of] (the) kerosene oil and the other, [of] (the) brandy.'   6. They are puffing.   7. They are perspiring.   8. The two unfortunate old [ones] are dazed with fatigue.   9. They are crazy.   10. Do you hear their curses? 11. The words: kerosene oil! brandy! are repeated over and over again (come back always).

B. — 1. Are you dazed with fear? 2. We are dazed with fatigue. 3. We are perspiring. 4. We are puffing. 5. A little pastry cook will drag himself along between the two witches. 6. He will not stink [of] (the) kerosene oil. 7. He will not stink [of] (the) brandy. 8. He will send forth [a scent of] (the) small patties. 9. He will be afraid. 10. He will breathe hard. 11. He will sweat. 12. He will believe that he is dreaming. 13. He will become crazy.

XIV

(Page 37, line 23 to page 38, line 7)

1. Qu'est-ce qui changea avec le siège? 2. Que ferma-t-on? 3. Qu'est-ce qu'on y mit? 4. A quoi le père Stenne fut-il obligé? 5. Où et comment passait-il sa vie? 6. Pourquoi ne pouvait-il pas fumer? 7. Où et quand pouvait-il voir son fils? 8. Semblait-il de bonne humeur quand il parlait des Prussiens? 9. Le petit Stenne, lui, était-il content de cette nouvelle vie?

1. Of whom are you speaking? 2. We are speaking of (the) old Stenne and (of the) little Stenne. 3. The siege will change their lives (life). 4. They (One) will close the square. 5. They (One) will upset the clusters [of shrubs]. 6. They (One) will place (some) kerosene oil in the square. 7. Poor old Stenne! Your watching will be constant. 8. Do you smoke? 9. I shall smoke only [in] the evening

at home. 10. Poor man! Your life will be upset. 11. You will spend it in a deserted square. 12. I shall not complain of that life. 13. To whom would you complain? 14. When will you see (the) little Stenne? 15. I shall have him only [in] the evening. 16. Poor little boy! he will see his father only very late.

XV

(Page 41, lines 12 to 21)

1. Qu'est-ce qui faisait trembler le petit Stenne? 2. Qui les deux enfants trouvèrent-ils dans le poste? 3. Où étaient-ils blottis? 4. Que faisaient-ils? 5. Pour quoi se serra-t-on? 6. Qu'est-ce que les soldats donnèrent aux enfants? 7. Pendant qu'ils buvaient, qui vint sur la porte? 8. Qui appela-t-il? 9. Comment lui parla-t-il? 10. S'en alla-t-il vite ou lentement?

A. — 1. Why do the soldiers sit close together? 2. Why are they squatting around the fire of the post? 3. Why do they tremble? 4. They do not tremble with fear. 5. They are not afraid (have no fear). 6. They are (have) cold. 7. The flames of the fire are thin. 8. The biscuits are thawing at the flames, at the end of the bayonets. 9. Two officers come. 10. They find the soldiers around the fire. 11. The soldiers make room for them.

B. — 1. One of the officers speaks to them. 2. Aren't you ashamed (Have you no shame)? 3. You are soldiers and you are trembling. 4. You are squatting around this fire like (some) children of widows. 5. He calls the

sergeant on the threshold. 6. He whispers to him. 7.
Give some brandy to these soldiers. 8. Give (to) them
(some) coffee and (some) biscuits. 9. That will warm
(thaw) them. 10. When they (will) have drunk the brandy,
they will be cold no longer. 11. They will tremble no
longer.

XVI

(*Page* 43, *lines* 3 *to* 12)

1. Qu'y avait-il dans un coin? 2. Comment était-
elle casematée? 3. Qui occupait le bas de la maison?
4. Que faisaient ces soldats? 5. Qu'est-ce que cela
sentait? 6. Par qui le haut de la maison était-il occupé? 7. Que faisaient-ils? 8. Qu'est-ce qui accueillit
les Parisiens? 9. Que donnèrent ceux-ci? 10. Que
leur donna-t-on? 11. Qu'est-ce qu'on leur fit faire?

A. — 1. Let us enter (into) this house. 2. It is full
of soldiers. 3. (Some) trunks of trees are fortifying it.
4. Go in and give (to) the soldiers your cabbages and your
bacon. 5. (Some) shouts of joy will welcome you.
6. In a corner of the lower floor there is a bright fire.
7. Some soldiers are chatting. 8. (Some) others are
playing cards. 9. (Some) others are preparing the soup.
10. That smells nice.

B. — 1. The upper floor of the house is full of officers.
2. Do you hear them chat? 3. Some soldiers are uncork-
ing Champagne wine. 4. They pour it to their officers.
5. Go in and give (to) them your newspapers. 6. A shout
of joy will welcome you. 7. The gardener will give you a

drink.   8. An officer will play the piano.   9. Another
will drink some wine.   10. Two will chat [together].
11. (Some) others will play cards.

XVII

(Page 47, lines 14 to 23)

1. Que raconta le petit Stenne?   2. Comment le fit-il?
3. Quelle sensation éprouvait-il à mesure qu'il parlait?
4. Quelle figure le père Stenne avait-il en l'écoutant?
5. Quand oo fut fini, quelle attitude prit-il?   6. Qu'est-ce
que l'enfant voulut dire?   7. Le vieux lui répondit-il?
8. Que fit-il?   9. Que ramassa-t-il?

A. — 1. Listen to me.   2. I shall tell you where I went.[1]
3. I shall tell you what (that which) I did.[1]   4. I shall
speak without taking breath.   5. I shall hide nothing.
6. I shall accuse myself.   7. That will relieve me.
8. My heart will be free when it is (will be) over.
9. Your face is terrible.   10. Do not repel me.   11. You
did [1] not answer me.   12. Do not weep.   13. Do not hide
your head in your hands.

B. — 1. What did [1] you do?   2. What did [1] you say?
3. Where did [1] you go?   4. Answer me.   5. I was asking
you what (that which) you had done.   6. I am listening to
you.   7. Tell me everything.   8. Do not hide anything
from (to) me.   9. Did [1] you accuse yourself?   10. Why
did [1] you weep?   11. Relieve your heart.   12. I shall not
repel you.   13. In proportion as you (will) speak, **your**

[1] Use the past indefinite.

heart will be relieved. 14. Tell me what (that which) you did.[1] 15. I picked [1] up the money and I hid [1] it.

XVIII

(*Page* 49, *lines* 9 *to* 23)

1. Qu'est-ce que votre ami vous demande de faire? 2. Où devez-vous vous en aller tout de suite? 3. Qu'est-ce que c'est qu'Eyguières? 4. Est-ce loin de votre moulin? 5. En arrivant, que demanderez-vous? 6. Décrivez la première maison après le couvent. 7. Devez-vous frapper la porte? 8. Pourquoi non? 9. En entrant, que crierez-vous? 10. Alors, qui est-ce que vous verrez? 11. Que feront les deux vieux? 12. De la part de qui les embrasserez-vous? 13. Comment le ferez-vous? 14. Puis, de qui les deux vieux et vous parlerez-vous?

A. — 1. We went [1] to Eiguyères. 2. That is a walk of two leagues. 3. That town has a convent, three large mills and many small houses. 4. The convent is old, old, very old. 5. The houses are low and old, old, very old. 6. All the houses have (some) gray shutters. 7. You can see (One sees) (some) small gardens behind the houses. 8. All the doors were [2] open. 9. We reached (arrived [1] at) the old town. 10. We entered [1] (into) the first house.

B. — 1. On (In) entering, we did not rap.[1] 2. We opened [1] the door. 3. We saw [1] two armchairs. 4. In these large armchairs one could see (saw [2]) two small old [persons]. 5. We shouted: [1] we are Maurice's friends.

[1] Use the past indefinite.
[2] Use the imperfect indicative.

6. They held [1] out their arms to us.   7. We embraced [1] them for you.   8. They embraced [1] us with all their hearts (heart).   9. We spoke [1] about you.   10. You had asked us for a service.   11. We rendered [1] it to you.   12. You are (some) good people.

XIX

(Page 54, line 22, to page 55, line 4)

1. Quelles questions les deux vieux vous firent-ils?
2. Pendant combien de temps vous questionnèrent-ils?
3. Comment répondiez-vous à toutes leurs questions?
4. Quels détails donniez-vous sur votre ami?   5. Qu'est-ce que vous inventiez?   6. Qu'est-ce que vous vous êtes gardé d'avouer?

A. — 1. How were [2] you?   2. How were [2] your friends?
3. What were you doing?   4. Why did you come? [1]   5. Why didn't your friends come? [1]   6. Were [2] they pleased?
7. Were [2] you pleased with (of) your rooms?   8. Give us some details.   9. Did the window shut [2] tight?   10. What was [2] the color of the [wall] paper?   11. Didn't you notice [1] it?   12. And so on and so forth.

B. — 1. Answer our questions.   2. We are not pleased with (of) the details which you gave [1] (to) us.   3. Answer as well as you can (of your best).   4. Do (of) your best.
5. Do not invent (any) details.   6. Do not confess that you do not know [how to] answer our questions.   7. Give us all the details (which) you know.   8. Take care not to (of)

---

[1] Use the past indefinite.

[2] Use the imperfect indicative.

invent any. 9. He will do his best. 10. He will not answer
boldly. 11. He will confess that he noticed [1] no details.
12. He will take care not to (of) answer all your questions.
13. We shall not be pleased with (of) him.

XX

(Page 57, line 26, to page 58, line 17)

1. Que se passait-il devant l'armoire? 2. Que
s'agissait-il de faire? 3. A quoi le vieux avait-il tenu?
4. Sur quoi était-il monté? 5. Qu'essayait-il de faire?
6. Décrivez le tableau. 7. Enfin, qu'est-ce qu'on parvint
à faire? 8. Qu'est-ce qu'on tira aussi de l'armoire?
9. Décrivez-la. 10. De quels fruits la remplit-on?
11. Aimez-vous les cerises? 12. Maurice les aimait-il
aussi?

A. — 1. They had[2] (some) jars of cherries in their closet,
up there. 2. The old [man] climbed [3] on a chair. 3. He
stood [3] on tip toe. 4. He tried [3] to get at the largest jar.
5. He was clinging at the closet. 6. His wife and the
orphans were trembling with (of) fright. 7. They were [2]
all panting. 8. They were holding out their arms. 9. The
picture was [2] very fine: the open closet, the piles of reddish
linen, the silver cups, the slight scent of bergamot, the
jars of cherries, the old [man] on the chair, Mamette and
the little [ones] behind.

B. — 1. At last the old [man] makes a great effort.

[1] Use the past indefinite.
[2] Use the imperfect indicative.
[3] Use the past definite.

2. He succeeds in reaching (arriving) up there.   3. He
takes out one of the jars from the closet.   4. He opens
it.   5. A slight scent of cherries was coming out of the jar.
6. Mamette goes and gets (goes get) (some) silver cups.
7. They are all battered.   8. The two orphans (have)
battered them.   9. The little girls in blue fill the cups to
the brim.   10. Do you like (the) cherries?   11. I like them.
12. But Mamette's cherries were old, old, very old.

XXI

(Page 61, lines 1 to 10)

1. Qu'est-ce que vous faisiez sur le Luberon?
2. Voyiez-vous souvent quelqu'un?   3. Étiez-vous absolument seul dans le pâturage?   4. Qui passait par
là de temps en temps?   5. Que cherchait-il?   6. Qui
aperceviez-vous aussi de temps en temps?   7. Quelle
sorte de gens était-ce?   8. Comment étaient-ils devenus
silencieux?   9. Qu'avaient-ils perdu?   10. Qu'est-ce
qu'ils ne savaient pas?

1. If you were [1] shepherds, you would have [2] (some) dogs.
2. You would remain [2] alone [for] entire weeks.   3. You
would not see [2] a living soul.   4. Now and then you would
see [2] a charcoal burner or a hermit.   5. You would lose [2]
the desire to (of) speak.   6. You would not know [2] anything about (of) the village.   7. I should tend [2] my sheep.
8. They are silent beasts (some beasts silent).   9. I
should not be [2] alone.   10. I should speak [2] to my dogs.

[1] Use the imperfect indicative.
[2] Use the present conditional.

11. I should look [1] for medicinal plants with the hermit.
12. Now and then (some) charcoal burners would pass [1] in my pasture. 13. Their faces (face) are (is) black but their souls (soul) are (is) candid. 14. They lose the desire to (of) speak by dint of solitude.

XXII

(Page 62, line 25, to page 63, line 7)

1. Qui est-ce qui était malade? 2. Où était tante Norade? 3. Qui vous apprit tout ça? 4. Pourquoi arrivait-elle tard? 5. Décrivez la belle Stéphanette. 6. A quoi avait-elle l'air de s'être attardée? 7. Avait-elle cherché son chemin dans les buissons? 8. Qu'est-ce que vous ne pouviez vous lasser de faire? 9. Pourquoi?

1. Will the children arrive late? 2. Have they been delayed? 3. Did they lose [2] their way in the bushes? 4. Are they looking for their way? 5. When they (will) arrive, they will alight from their mules. 6. They will be in their Sunday finery. 7. Look at their laces and (their) ribbons. 8. They are dainty. 9. Look at (the) little Stephanette. 10. She does not get tired of looking at her skirt. 11. The eyes of these children are shining. 12. Are they sick? 13. No, they are [home for the] (in) holidays. 14. Children, inform me why you arrive so late. 15. Have you been looking for (some) flowers in the bushes on your way? 16. That is true. 17. Who told [2] (it to) you? 18. I saw [2] you.

[1] Use the present conditional.
[2] Use the past indefinite.

XXIII

(Page 66, lines 9 to 23)

1. Qu'est-ce que la belle Stéphanette aimait mieux faire? 2. Qu'est-ce que le jeune berger lui jeta sur les épaules? 3. Qu'activa-t-il? 4. Les jeunes gens se parlèrent-ils? 5. Avez-vous jamais passé la nuit à la belle étoile? 6. Qu'est-ce qui s'éveille, la nuit? 7. Qu'est-ce qui chante? 8. Qu'est-ce que les étangs allument? 9. Que font tous les esprits de la montagne? 10. Qu'est-ce qu'il y a dans l'air? 11. Qu'est-ce qu'il vous semble entendre? 12. Le jour, qu'est-ce qui se manifeste? 13. Qu'est-ce qui se manifeste, la nuit? 14. Quand on n'en a pas l'habitude, quelle impression a-t-on?

A. — 1. (The) night was coming [on]. 2. Were you passing the night in the open air? 3. That was [1] our habit. 4. We did [1] not sleep. 5. We used to light [1] a bright fire. 6. We used to throw [1] a goat skin on our shoulders. 7. We would stir [1] the flames. 8. We would sit [1] by (near) the fire. 9. We were not speaking. 10. Did not (the) silence and (the) solitude frighten [1] you? 11. No, we were accustomed to them (we had [1] the habit of them).

B. — 1. We used to prefer (like better) [1] the night to (than) the day. 2. (The) Things are stirring at night; in day time (the) beings are stirring. 3. We heard [1] [almost] inaudible noises in the mountains and on the pond. 4. A mysterious world was awakening when (the) night

[1] Use the imperfect indicative.

was coming [on].   5. One heard [1] the rustling of the spirits
which were going to and fro.   6. We used to hear [1] the
springs babbling.[2]   7. The grass was growing taller.
8. The branches were growing longer.   9. The stars were
stirring the flames of their mysterious fires.   10. We used
to like [1] those nights spent in the open air.

XXIV

(*Page* 72, *line* 28, *to page* 73, *line* 8)

1. Qu'est-ce que l'héroïque fille dit au docteur?
2. Qu'essuya-t-elle vite?   3. Comment paraissait-elle
quand elle rentra dans la chambre de son grand-père?
4. Quelle sorte de tâche avait-elle prise là?   5. Comment
la jeune fille et le docteur s'en tirèrent-ils les premiers
jours? 6. Pourquoi?   7. Avec la santé, quel change-
ment se produisit?   8. Au courant de quoi fallut-il le
tenir?   9. Que fallut-il lui rédiger?

A. — 1. My grandfather's ideas are not clear.   2. You
will have to (It will be necessary [to]) deceive him.   3. You
will have to lie.   4. The task that you are undertaking is
difficult.   5. It is heroic.   6. You are only a weak child.
7. How would you get along?   8. Will you keep him posted
on everything?   9. Will you write a military report every
day?   10. Will you lie?

B. — 1. I am undertaking a hard task.   2. I shall wipe
my tears.   3. I shall go back into his room.   4. I shall

---

[1] Use the imperfect indicative.
[2] Use the infinitive.

have to (It will be necessary to me [to]) lie. 5. I shall get along. 6. I shall deceive him about (on) the moves of our army. 7. He will be all radiant. 8. He will let himself be deceived. 9. Have you a clear idea of your task? 10. [On] the first days, that will not be hard. 11. You are heroic. 12. I am only a weak girl.

XXV

(Page 76, lines 2 to 11)

1 Pourquoi cette pauvre enfant était-elle au désespoir? 2. Son père était-il libre ou prisonnier? 3. Avait-il tout ce qu'il lui fallait? 4. Était-il en bonne santé? 5. Qu'était-elle obligée de faire? 6. Quelle sorte de lettres lui faisait-elle écrire? 7. Pourquoi pouvaient-elles être courtes? 8. Quelquefois, qu'est-ce qui manquait à la jeune fille? 9. Quelle en était la conséquence? 10. Alors que faisait le vieux?

1. Our soldiers are on a campaign. 2. They are conquering (some) other countries. 3. We did not hear from them (We are without news of them). 4. They do not write to us. 5. Are they prisoners? 6. We do not know if they are sick. 7. They are perhaps deprived of everything. 8. We can imagine their despair. 9. They imagine ours. 10. I am uneasy. 11. I sleep no more. 12. Write to them. 13. If those poor children do not hear from you (remain without news of you), they will be uneasy. 14. I shall write, but my letter will be short. 15. I cannot write a cheerful letter. 16. (The) strength fails me.

XXVI

(Page 80, lines 8 to 23)

1. Qu'est-ce que le vieillard entendit derrière l'Arc de triomphe? 2. Puis, que vit-il? 3. Qu'est-ce qui brilla peu à peu? 4. Qu'est-ce qui se mit à battre? 5. Sous l'Arc de l'Étoile, qu'est-ce qui éclata? 6. Par quoi cette marche était-elle rythmée? 7. Alors quel cri entendit-on? 8. Que put voir l'avant-garde? 9. Cette fois, le colonel Jouve était-il mort?

1. The square of the Arc de triomphe de l'Étoile is gloomy at daybreak. 2. A tall old man is up there on his balcony. 3. Gradually he hears (some) rumbling noises, (some) clashes of sabres, the heavy footsteps of the vanguard. 4. He can see a black line. 5. It is the vanguard which begins to advance under the Arc de triomphe de l'Étoile. 6. The helmets are shining. 7. The drums are beating. 7. A Prussian march bursts forth. 9. Then the vanguard hears some shouts: "To arms! The Uhlans are advancing." 10. Up there (the) Colonel Jouve moves his arms. 11. He staggers. 12. He falls stark dead.

XXVII

(Page 81, line 19, to page 82, line 13)

1. Qu'est-ce que le vieux fifre vous a dit en riant? 2. Qu'avez-vous pensé de cette idée? 3. Où est située la bibliothèque des Cigales? 4. Qu'est-ce que vous avez fait? 5. Décrivez cette bibliothèque. 6. A qui

est-elle ouverte, nuit et jour? 7. Par qui est-elle desservie? 8. Qu'est-ce qu'ils font tout le temps? 9. Combien de temps avez-vous passé dans cette bibliothèque?
10. Dans quelle position avez-vous fait vos recherches?
11. Qu'avez-vous fini par découvrir? 12. Quelle sorte
de conte est-ce? 13. Qu'allez-vous essayer de faire?
14. Décrivez le manuscrit dans lequel vous l'avez lu?

A. — 1. Did you find the story that you seek (wish)?
2. Go to the library of the crickets. 3. Where is it? 4.
The poet is going to try to tell (it to) you. 5. These libraries are marvelous. 6. They are well stocked. 7. Their
manuscripts are weather stained. 8. They scent [of] (the)
lavender. 9. The bookmarks of these manuscripts are
(some) gossamer threads.

B. — 1. The librarians are (some) small crickets. 2.
They keep the doors open all the time. 3. They attend
to these libraries. 3. (The) poets shut themselves there.
4. There they spend (some) delightful weeks. 5. They
make their searches [lying] on their backs (on the back).
6. They read the weather stained manuscripts. 7. They
discover in them (there) pretty and ingenuous tales (some
pretty tales ingenuous). 8. One of the small librarians
has (some) cymbals. 9. He makes (some) music for the
poets day and night.

XXVIII

(Page 85, lines 2 to 10)

1. De quelle couleur était la mule du pape? 2. Comment avait-elle le pied? 3. Comment était son poil?

4. Décrivez sa croupe. 5. Comment portait-elle la tête? 6. Décrivez sa tête. 7. De quoi était-elle harnachée? 8. Comme qui la mule était-elle douce? 9. Comment avait-elle l'œil et les oreilles? 10. Quel air ses oreilles lui donnaient-elles?

A. — 1. (The) mules are not (some) beautiful beasts. 2. They are not [so] beautiful as (like) (the) horses (*cheval*, *chevaux*). 3. They are more sure-footed than (the) horses. 4. They are [as] gentle as (like) (some) angels. 5. Their heads are (Their head is) small. 6. They do not carry them (it) proudly as (the) horses [do]. 7. Their hair is (Their hairs are) black, dappled with red. 8. It is (They are) not glossy like that (those) of the horse. 9. The back of a horse is longer, wider and fuller than that of a mule.

B. — 1. The ears of those beasts are long and always in motion. 2. Their eyes are dry and candid. 3. I must also (It is necessary also [to]) say that (the) mules look (have the air) good-natured. 4. Harness a mule. 5. Give (to) it (some) beautiful bows [of ribbon] and (some) small silver bells. 6. When its head is (will be) all adorned (harnessed) with small tufts and (with) wide knots, it will carry it proudly. 7. The small bells will always be in motion. 8. Then it will be as good as (worth) a horse.

XXIX

(*Page* 88, *lines* 6 *to* 12)

1. La mule était-elle patiente? 2. A qui en voulait-elle? 3. En voulait-elle aux autres enfants? 4. Quand

Tistet était derrière elle, qu'est-ce qui lui démangeait?
5. Quelle sorte de garçon était ce Védène? 6. Que
faisait-il à la mule? 7. Qu'avait-il, après boire?

1. You vainly play (some) tricks on (to) me. 2. I shall
not get angry. 3. You are only (some) naughty children.
4. I do not bear a grudge against you. 5. Against whom
do you bear a grudge? 6. I bear a grudge against these
good for nothing (of) Tistet and Béluguet. 7. You have
good reasons [to do so]. 8. They are so cruel. 9. Do they
play (any) tricks on (to) you? 10. My hoofs itch when I
feel them behind me. 11. Do not get angry. 12. Do not
bear a grudge against them. 13. They are only (some)
good for nothing. 14. Their schemes are so naughty.
15. There are certainly good reasons [to] get mad.

XXX

(Page 90, line 21, to page 91, line 2)

1. Quel fleuve Tistet Védène descendait-il? 2. Sur
quoi le descendait-il? 3. Était-il triste ou gai? 4. Où
s'en allait-il? 5. Avec qui était-il? 6. Pourquoi la ville
d'Avignon envoyait-elle ces jeunes gens près de la reine
Jeanne? 7. Tistet était noble, n'est-ce pas? 8. Pourquoi le Pape l'avait-il envoyé à Naples avec la troupe
des jeunes nobles?

1. Where are these young men going? 2. They are
going down the Rhône. 3. They are singing. 4. They
are some young nobles whom the Pope is sending to

the court of Naples. 4. There they will practice (the) diplomacy. 5. They will display their fine manners near (the) Queen Jane. 6. Tistet, Quiquet and Béluguet displayed [1] a great zeal during the rescue of the mule. 7. The Pope will send them to the court of (the) Queen Jane. 8. They will go to Naples on a papal boat. 9. They will sing while going down the Rhône. 10. But they are not noble. 11. They have no fine manners. 12. They took care of (gave [1] some cares to) the mule. 13. The Pope is anxious to reward them. 14. They will be rewarded.

XXXI

(Page 93, line 22, to page 94, line 3)

1. D'où sortit Tistet Védène? 2. Dans quelle disposition d'esprit en sortit-il? 3. Comment attendit-il la cérémonie du lendemain? 4. Qui était pourtant plus heureux et plus impatient que lui? 5. Que n'avait-elle cessé de faire depuis le retour de Védène? 6. Pourquoi?

1. Tistet and Béluguet are leaving the large hall of the palace. 2. Are you pleased? 3. Are you awaiting tomorrow (*demain*) impatiently? 4. Are you getting ready for the ceremony? 5. You do not need to tell me that they are impatient. 6. Yet the mule will be still happier than they. 7. It will be still more impatient than they. 8. With what impatience it has been awaiting [1] the return of Tistet and (of) Béluguet! 9. It will await the afternoon service of to-morrow with a great impatience. 10. It

[1] Use the past indefinite.

will get ready for the ceremony. 11. It will fill itself with oats. 12. It will practice kicking against the wall with its hind hoofs till to-morrow. 13. We do not need to tell (it to) them.

VOCABULARY

ABBREVIATIONS

adj., adjective.
adv., adverb.
art., article.
cond., conditional.
conj., conjunction.
def., definite.
excl., exclamation.
f., feminine.
fut., future.
imper., imperative.
imperf., imperfect.
impers., impersonal.

ind., indicative.
m., masculine.
neg., negation.
part., participle.
plur., plural.
pron., pronoun.
prep., preposition.
pres., present.
subj., subjunctive.
—, repetition of the title
word.

VOCABULARY

A

a, *pres. ind. of* **avoir.**

à, to, at, in, of, with.

abandon, *m.,* abandonment, neglect.

abandonner, to abandon, desert.

abbé, *m.,* abbot.

abécédaire, *m.,* primer.

abeille, *f.,* bee.

abîmer (s'), to get soiled.

abord, *m.,* access; **d'—,** first, at first.

aborder, to accost.

abri, *m.,* shelter, haven; **se mettre à l' —,** to get out of the way.

absence, *f.,* absence.

absurde, absurd.

accompagner, to accompany.

accord, *m.,* agreement; **être d'— pour,** to agree to, be unanimous in.

accrocher, to hang up.

accroupi, -e, squatting.

accueillir, to welcome, greet.

accuser, to accuse; **s'—,** accuse oneself.

acheter, to buy.

achever, to achieve, complete, finish.

activer, to stir up.

activité, *f.,* activity, zeal.

adage, *m.,* adage, old saying.

adieu, *m.,* farewell, good-by.

admirable, fine.

admirablement, admirably.

admiration, *f.,* admiration.

adorable, delightful.

adorer, to adore, be fond of.

affaire, *f.,* affair, business matter; **— de patience,** question of time; **avoir — à,** to have to deal with.

affairer (s'), to be bestirring oneself.

affiche, *f.,* poster, notice.

afficher, to post.

affreu-x, -se, dreadful.

affublé, -e, rigged out, equipped.

âge, *m.,* age; **quel — as-tu?** how old are you?

âgé, -e, old.

agir, to act; **il s'agissait de,** it was a question of; they were speaking of.

agneau, *m.,* lamb.

ah! ah! oh!

ahuri, -e, dazed.

aide de camp, m., aide-de-camp, orderly officer.

aide-meunier, m., mill-boy.

aider, to help.

aigle, m., eagle; f., standard.

aiguille, f., needle; point.

aiguiser, to sharpen.

aile, f., wing; sail; mettre des — s, to brighten up.

aille, pres. subj. of aller.

aimable, kind.

aimer, to love, like; — mieux, prefer.

aîné, m., eldest, elder.

ainsi, thus; — que, as.

air, m., air, look, appearance; en l'—, up; avoir l'— (+ adjective), to look; avoir l'— de (+ noun), look like; (+ verb), seem.

ajouter, to add.

ajuster, to tune.

alarme, f., alarm

alerte, adj., lively

alerte, f., alarm.

allée, f., walk.

Allemagne, f., Germany.

allemand, m., German.

aller, to go, be going, be about; (of health) be; s'en —, go, go away, disappear; — chercher, go and get, get; y —, go at it; — mieux (business), be in better shape.

allonger, to lengthen; s'—, stretch out.

allons! excl., come; now.

allumer, to light; send forth.

allure, f., gait, way.

alors, then.

alourdi, -e, heavy.

Alsacien, m., Alsatian.

amadou, m., German tinder; d'—, soft and brownish.

amble, m., amble.

âme, f., soul.

amener, to bring.

ameuter, to arouse, gather.

ami, m., friend.

amical, -e, friendly.

amie, f., friend.

amitié, f., friendship.

amour, m., love.

amoureu-x, -se, in love.

amoureux, m., lover.

amusant, -e, amusing, funny.

amuser, to amuse.

an, m., year.

ancien, -ne, ancient, former.

âne, m., donkey.

ange, m., angel.

angoisse, f., anguish, distress.

animal, m., animal.

animation, f., animation, bustle; excitement, heat.

animer, to excite.

année, f., year.

annoncer, to announce.

antichambre, f., anteroom, hall.

antique, antique, ancient, old.

août, *m.,* August.

apercevoir, to perceive, see, notice; **s'— de,** notice, see.

aperçus, -t, *past def. of* **apercevoir.**

aplomb, *m.,* equilibrium; **d'—,** well balanced; **avoir l'— de,** to be bold enough.

apoplexie, *f.,* apoplexy.

apparaître, to appear.

apparition, *f.,* apparition, appearance, vision.

appartement, *m.,* apartment.

appartenir, to belong.

apparut, *past def. of* **apparaître.**

appel, *m.,* call.

appeler, to call; **s'—,** be called.

appliquer, (s'), to work hard.

apporter, to bring, carry.

apprenais, *imperf. of* **apprendre.**

apprendre, to learn; study; hear; tell.

apprenti, *m.,* apprentice.

appris, -t, *past def. of* **apprendre.**

approcher, to approach, draw near; **s'—,** draw near.

approuver, to approve.

appuyé, -e, leaning.

appuyer, to lean, press, bear on; **s'—,** rest, lean.

après, after.

araignée, *f.,* spider.

arbre, *m.,* tree; **— de couche,** shaft.

arc, *m.,* arch.

archivieux, -vieille, very old.

argent, *m.,* silver, money.

argenterie, *f.,* silver-plate.

arme, *f.,* weapon; **aux —s!** to arms!

armée, *f.,* army.

armer, to cock.

armoire, *f.,* closet.

aromates, *m. plur.,* aromatics, fragrant spices.

arracher, to tear.

arrêter, to stop; **s'—,** stop.

arrière-pensée, *f.,* afterthought, vague fear.

arrivage, *m.,* arrival.

arriver, to arrive; reach; (*impers.*) happen.

arroser, to sprinkle.

as, *pres. ind. of* **avoir.**

assemblée, *f.,* assembly.

asseoir, to seat; **s'—,** sit down.

asseyant, *pres. part. of* **asseoir.**

assez, enough.

assiéger, to besiege.

assiette, *f.,* plate.

assis, -e, *past part. of* **asseoir.**

assister, to be present.

assoupissement, *m.,* drowsiness.

astiquer, to furbish.

astre, *m.*, heavenly body.

atmosphère, *f.*, atmosphere.

atroce, awful, frightful.

attacher, to attach, retain; tie.

attaque, *f.*, attack.

attarder, (s'), to linger, be detained.

atteindre, to reach.

attendre, to wait for, await.

attendri, –e, moved; tender.

attendrissant, –e, pathetic.

attenti–f, –ve, attentive.

attention, *f.*, attention.

attraper, to catch.

au=à le.

aube, *f.*, dawn; surplice (*a clergyman's white garment*).

aubépine, *f.*, hawthorn.

aucun, –e, any, no.

au-dessous de, beneath.

au-dessus de, above, over.

au-devant de, to meet.

aujourd'hui, to-day.

aurais, aurait, *cond. of* avoir.

aussi, also, too; so, as; (*beginning a clause*) therefore.

aussitôt, at once.

autant, so much, as much; d' — que, all the more because, more especially as.

auteur, *m.*, author.

autour, *adv.;* — de, *prep.*, around.

autre, other.

autrefois, formerly; d'—, former.

autrement, otherwise; in any other way; — encornées, having longer horns.

avance, *f.*, advance; par — *or* d'—, in advance, beforehand.

avancer, to advance, progress; (*of clocks*) go fast; s'—, advance.

avant, before; — que, *conj.*, before; en —, forward, foremost.

avant-garde, *f.*, vanguard.

avarice, *f.*, stinginess.

avec, with.

avenant, –e, courteous.

aventure, *f.*, adventure.

avenue, *f.*, avenue.

avertir, to warn.

aveuglette (à l'), gropingly.

avis, *m.*, opinion.

aviser (s'), to take into one's head.

avocat, *m.*, lawyer.

avoine, *f.*, oats.

avoir, to have; qu'as-tu? what's the matter with you? il y a, there is, there are; ago; il y avait, there was, there were; qu'est-ce qu'il y a? what's the matter?

avouer, to confess.

ayant, *pres. part. of* avoir.

B

baba, *m.*, rum cake.

babies, *m. plur.*, babies.

baby, *m.*, baby.

babine, *f.*, lip, chop.

bah! pshaw!

bâiller, to yawn.

bailli, *m.*, bailiff.

baïonnette, *f.*, bayonet.

baisser, to lower, bend; fall, decline; se —, stoop, bow.

bal, *m.*, ball.

balancer, to balance, swing; se —, swing back and forth.

balcon, *m.*, balcony.

banc, *m.*, bench, seat; pew.

bande, *f.*, troop; streak.

bandit, *m.*, rascal.

banlieue, *f.*, suburbs.

bannière, *f.*, banner.

baptême, (*do not sound the* p), *m.*, christening.

baraque, *f.*, booth, stall.

barbe, *f.*, beard; à la — de, under the very nose of.

barbiche, *f.*, beard, goatee.

barquette, *f.*, see *échaudé*.

barrette, *f.*, cap.

barricade, *f.*, barricade.

bas, –se, low.

bas, *adv.*, low; en —, below; downstairs; plus —, further down; jeter à —, to demolish, tear down.

bas, *m.*, bottom; lower floor;

la pièce du —, the room downstairs.

basse, *f.* of bas, *adj.*

bat, *pres. ind.* of battre.

bataille, *f.*, battle.

bataillon, *m.*, battalion.

bâton, *m.*, stick; stroke.

battement, *m.*, beating.

battre, to beat, strike; throb; se —, fight.

beau, bel, –le, beautiful, fine.

beaucoup, much, a great deal, many.

bégayer, to stammer.

béguin, *m.*, cap.

bel, *see* beau.

bêler, to bleat.

belle, *see* beau.

bénédiction, *f.*, blessing.

bénit, –e, holy.

bénitier, *m.*, holy-water basin.

berceau, *m.*, cradle.

béret, *m.*, cap shaped like a Tam o'Shanter.

bergamote, *f.*, odoriferous citron; bergamot (*pear*).

berger, *m.*, shepherd; l'étoile du —, the shepherd's star (*the planet Venus*).

Berlin, *m.*, Berlin (*the capital of Prussia and the German Empire*).

besicles, *f. plur.*, old-fashioned spectacles.

besoin, *m.*, need.

bête, *f.*, beast, animal; sheep; fool.

bibliothécaire, *m.*, librarian.

bibliothèque, *f.*, library.

bien, well; very; quite; indeed; much; — des, many; — plus, much more; être —, to be comfortable; avoir — le temps, have plenty of time; je crois —, I do believe; — entendu, of course; ou —, or else.

bien-être, *m.*, comfort.

bientôt, soon.

bijou, *m.*, jewel.

bique, *f.*, she-goat.

biscuit, *m.*, biscuit.

bise, *f.*, north wind.

bivouac, *m.*, bivouac.

blan-c, -che, white; gray.

blé, *m.*, wheat, grain.

bleu, -e, blue.

blond, -e, blond, of a fair color, light-haired.

blond, *m.*, man of a very fair complexion.

blottir (se), to crouch, squat.

blouse, *f.*, blouse.

bocal, *m.*, jar.

bœuf, *m.*, ox.

bohémien, *m.*, gipsy.

boire, to drink, absorb.

boire, *m.*, drinking.

bois, *m.*, wood.

bol, *m.*, bowl, jar.

bombardement, *m.*, bombardment.

bon, -ne, good, kind; c'est —, all right; that's enough.

bon, *adv.*, good, nice.

bond, *m.*, bound, leap.

bondir, to jump.

bonheur, *m.*, happiness; luck; par —, fortunately.

bonhomme, *m.*, good-natured old man; old fellow.

bonjour, *m.*, good day.

bonne, *see* bon.

bonne, *f.*, maid.

bonnet, *m.*, cap.

bonté, *f.*, goodness; — divine! gracious goodness! good gracious!

bord, *m.*, edge, brim.

bordée, *f.*, broadside, volley.

border, to border.

bosselé, -e, battered.

botte, *f.*, boot; bunch, armful.

bottelée, *f.*, small bale.

bouc, *m.*, he-goat.

bouche, *f.*, mouth.

boucher, to stop.

boucher, *m.*, butcher.

boucle, *f.*, buckle.

boue, *f.*, mud.

bouffette, *f.*, bow of ribbon.

bouger, to move.

boulanger, *m.*, baker.

boulangerie, *f.*, bakery.

boulevard, *m.*, boulevard.

bouleversement, *m.*, commotion.

bouleverser, to upset.

bouquet, *m.*, cluster, bunch.

bourdonner, to buzz.

bourg, *m.*, village.

bourgeois, *m.*, commoner, middle-class people.

bourrer (se), to stuff oneself.

bousculade, *f.*, jostling crowd.

bout, *m.*, end; bit; tip; rear.

boutique, *f.*, shop.

bouton, *m.*, button.

branche, *f.*, branch.

brandir, to brandish.

branle, *m.*, motion.

branle-bas, *m.*, clearing of the decks for action; commotion.

bras, *m.*, arm.

brave, brave, good, fine.

bravo, *m.*, bravo, applause.

brebis, *f.*, sheep.

brèche, *f.*, breach.

breton, –ne, Breton, of Brittany.

bric-à-brac, *m.*, bric-à-brac, odds and ends.

brigand, *m.*, rascal.

brillant, –e, brilliant, dazzling, shimmering.

briller, to shine.

brin, *m.*, sprig, blade.

broder, to embroider.

bronze, *m.*, bronze; *plur.*, bronze busts *or* statues.

brouhaha, *m.*, hubbub, tumult.

brouillard, *m.*, fog.

brouter, to browse, graze.

bruissement, *m.*, rumbling noise.

bruit, *m.*, noise, rumor, opinion; crack; rustling; ringing.

brûler, to burn.

brume, *f.*, mist.

bruyère, *f.*, heath.

bu, –e, *past part. of* **boire.**

buis, *m.*, boxwood.

buissière, *f.*, grove of box-trees.

buisson, *m.*, bush.

bulletin, *m.*, bulletin.

burette, *f.*, cruet.

burin, *m.*, burin (*engraver's tool*).

butte, *m.*, knoll.

buvant, *pres. part. of* **boire.**

C

c', ç' = ce.

ça = cela.

çà, here.

caban, *m.*, cape.

cabri, *m.*, kid.

cacher, to conceal; **se —,** be hidden.

café, *m.*, coffee.

cage, *f.*, cage.

caillou, *m.*, pebble.

calice, *m.*, cup.

calme, *adj.*, calm, quiet.

calme, *m.*, quiet, calmness.

calotte, *f.*, skullcap.

camail, *m.*, hood (*worn in church services*).

camarade, *m.*, comrade, class-mate.

campagne, *f.*, campaign.

campanule, *f.*, campanula, bellflower.

canal, *m.*, canal.

canari, *m.*, canary bird.

candeur, *f.*, candor, sinceri-ty.

canne, *f.*, cane.

canon, *m.*, cannon.

cantique, *m.*, hymn, song.

cape, *f.*, cape, cloak.

capiteu-x, -se, heady, intoxi-cating.

car, for.

caractère, *m.*, character.

caramel, *m.*, burnt sugar.

cardinal, *m.*, cardinal.

caressant, -e, caressing.

caresse, *f.*, caress.

caresser, to caress.

carillon, *m.*, chime; grand —, full peal.

carmélite, *f.*, carmelite (*nun of the order of Our Lady of Mount Carmel*).

carmélite, *adj.*, light brown.

carte, *f.*, card; map.

cartouchière, *f.*, cartridge-belt.

cas, *m.*, case.

casemater, to casemate, forti-fy.

caserne, *f.*, barracks.

casque, *m.*, helmet.

casser, to break; se —, be broken, go to pieces.

cause, *f.*, cause; à — de, on account of.

causer, to cause, chat, talk.

causerie, *f.*, conversation.

ce, cet, cette, ces, *adj.*, this, that, these, those.

ce, *pron.*, this, that, it; — qui (*subject*), — que (*object*), that which, what.

ceci, this.

ceinture, *f.*, belt.

cela, that.

céleste, celestial, heavenly.

celle, *f. of* celui.

celui, celle, ceux, celles, this one, that one, these, those; the one, the ones; — -ci, this one, the following, the latter; — -là, that one, the former.

cent, one hundred.

centième, hundredth.

cependant, however, yet.

cérémonie, *f.*, ceremony.

cerise, *f.*, cherry.

certain, **-e**, certain, sure; — **bocal**, a particular jar.

cesser, to cease.

ceux, *see* **celui.**

chacun, -e, each, every one.

chaire, *f.*, teacher's desk.

chaise, *f.*, chair.

chambre, *f.*, room.

chamois, *m.*, chamois.

champ, *m.*, field; — **de foire**, fair-grounds.

chanceler, to totter.

changer, to change, be changed.

chant, *m.*, song; crowing.

chanter, to sing; coo; babble.

chaperon, *m.*, hood, cap.

chapitre, *m* , chapter, council.

chaque, every, each.

char, *m.*, chariot.

charbonnier, *m.*, charcoal-burner.

charger, to load.

charmant, -e, charming.

charretier, *m.*, driver; (*astronomy*) charioteer.

chasse, *f.*, hunting.

chassepot, *m.*, breech-loading rifle (*invented by Mr. Chassepot*).

chasser, to expel.

chasseur, *m.*, soldier (*light infantry*).

chasuble, *f.*, chasuble (*altar vestment worn by the priest while saying mass*).

chat, *m.*, cat.

châtaigne, *f.*, chestnut.

châtaignier, *m.*, chestnut-tree.

chatière, *f.*, cat's hole (*cut at the bottom of a door*).

chaud, -e, warm, hot.

chaud, *adv.*, warm.

chauffer (se), to warm oneself.

chaussée, *f.*, roadway, street.

chausses, *f. plur.*, breeches.

chemin, *m.*, way, road.

cheminée, *f.*, chimney, shaft.

cher, chère, dear.

chercher, to seek, look for; **aller —**, go and get, get.

cheval, *m.*, horse.

cheveu, *m.*, hair.

chèvre, *f.*, goat.

chez, at the house of; with, among; — **vous**, at your house; — **nous**, among us; **de — lui**, from his house.

chien, *m.*, dog.

chiffon, *m.*, rag.

choc, *m.*, shock, collision.

choisir, to choose.

chose, *f.*, thing; story; **quelque —**, *m.*, something; **autre —**, *m.*, something else, anything else.

chou, *m.*, cabbage.

chronique, *f.*, chronique, story, " variety."

chroniqueur, *m.*, reporter, journalist.

chuchotement, *m.*, whispering.

chuchoter, to whisper.

ciel, *m.*, sky, heaven.

cigale, *f.*, cricket.

cinq, five.

ciseleur, *m.*, engraver.

citoyen, *m.*, citizen.

civière, *f.*, litter.

clair, –e, clear, bright; light, light colored.

clair, *adv.*, distinctly, audibly.

claire-voie, *f.*, lattice gate.

clairon, *m.*, bugle.

classe, *f.*, class, class-room, recitation; faire la —, to teach; manquer la —, play truant.

clé or clef (*do not sound the* f), *f.*, key.

clerc, *m.*, clerk; petit —, choir-boy.

clergé, *m.*, clergy.

clignement, *m.*, winking.

cloche, *f.*, church bell.

clocheton, *m.*, little steeple.

clochette, *f.*, little bell.

clore, to close.

clos, –e, *past part. of* clore.

clos, *m.*, meadow.

coche, *m.*, barge.

code, *m.*, code.

cœur, *m.*, heart; spirit; de bon —, heartily, bravely.

coiffe, *f.*, head-dress, cap.

coin, *m.*, corner.

colère, *f.*, anger; en —, angry.

colimaçon, *m.*, snail; escalier en —, winding staircase.

colline, *f.*, hill.

colonel, *m.*, colonel.

colonne, *f.*, column.

combat, *m.*, fight.

combien, how much, how many.

combiner, to combine, plan.

comme, like, as, as if; something like; how.

commencement, *m.*, beginning.

commencer, to begin.

comment, how; —! what!

commerce, *m.*, trade, business.

commune, *f.*, township.

compact, –e, serried, close.

compagnie, *f.*, company.

compagnon, *m.*, companion.

comprenais, *imperf. of* comprendre.

comprendre, to understand.

comprîmes, *past def. of* comprendre.

compte, *m.*, account; faire son —, to go about it.

compter, to rely.

condamner, to condemn.

condition, *f.*, condition.

conduire, to lead, take, accompany.

conduisant, *pres. part.;* conduisais, *imperf. of* conduire.

confiance, *f.*, faith.

confier, to intrust.

confrérie, *f.*, brotherhood.

confus, –e, confused; indistinct.

confusément, indistinctly.

congé, *m.*, leave; holiday; prendre — de, to bid goodby to.

connaissaient, *imperf. of* connaître.

connaissance, *f.*, acquaintance.

connaît, *pres. ind. of* connaître.

connaître, to know, be acquainted with.

connu, –e, *past part. of* connaître.

conquérant, *m.*, victor.

conquérir, to conquer.

conquête, *f.*, conquest.

conquis, –e, *past part. of* conquérir.

conscience, *f.*, conscience.

conseil, *m.*, advice.

considération, *f.*, consideration, thought.

console, *f.*, console-table, pedestal; shelf.

consterné, –e, astounded, amazed.

conte, *m.*, tale, story.

contenir (se), to keep one's temper.

content, –e, happy, pleased.

contenter (se), to be content, be satisfied.

conter, to tell, relate.

continuer, to continue, keep up.

contour, *m.*, edge.

contre, against; near; for; at; with.

convalescence, *f.*, convalescence.

convenir, to suit; agree.

conversation, *f.*, conversation.

convînmes, *past def. of* convenir.

convive, *m.*, guest.

convoi, *m.*, convoy, column.

copeau, *m.*, shaving.

coq, *m.*, rooster.

coque, *f.*, knot, bow (*of ribbon*).

coquin, –e, *m.*, *f.*, rascal.

corbeille, *f.*, basket.

corde, *f.*, line, rope.

corne, *f.*, horn.

cornet, *m.*, cone.

corridor, *m.*, hallway.

costume, *m.*, uniform.

côte, *f.*, slope, hill.

côté, *m.*, side, direction; du — de, in the direction of; de son —, for his (her) own part; too; à — de, by, next to; l'un à — de l'autre, side by side; pièce à —, next room.

cotte, *f.*, jacket; overalls.

cou, *m.*, neck.

couchant, *m.*, west.

couche, *f.*, bed; **arbre de —**, shaft.

couché, -e, lying down; cut down.

coucher, to lay; sleep; **se —** *or* **aller se —**, lie down; go to bed.

coude, *m.*, elbow.

couler, to flow; run down; leak.

couleur, *f.*, color, shade.

couloir, *m.*, hallway.

coup, *m.*, blow, stroke; shock; thrust; move, operation; **— de cornes**, butt; **— de dents**, bite; **— d'œil**, glance; **— de feu**, gunshot; **— de pied**, kick; **— de reins**, movement of the haunches; **— de sabot**, kick; **— de sonnette**, ring; **— de théâtre**, stage effect; **d'un seul —**, in one lesson; **par petits —s**, slowly; **pour le —**, this time; **tout à—**, suddenly, all at once.

coupable, guilty.

couper, to cut; take the shortest way.

cour, *f.*, court; courtyard; **en —**, at court; **faire sa —**, to pay court.

courage, *m.*, courage.

courageusement, bravely.

courant, *m.*, current; **tenir au — de**, to keep posted on.

coureuse, *f.*, rover, run-away.

courir, to run, run about; **— les nids**, go nest hunting; **— les routes**, travel; **faire —**, provoke, excite.

cours, *m.*, public promenade.

course, *f.*, course, running, walk; **prendre sa —**, to start running, take to one's heels.

court, -e, short; *adv.*, short.

court, *pres. ind. of* courir.

couvent, *m.*, convent.

couvert, *m.*, cover, knife and fork; table; **mettre le —**, to lay the table.

couvert, *past part. of* couvrir.

couvrir, to cover.

craie, *f.*, chalk.

cramponné, -e, clinging.

craquement, *m.*, crackling, flapping.

crasseu–x, -se, dirty.

créature, *f.*, creature.

crécelle, *f.*, rattle.

crèche, *f.*, crib.

crête, *f.*, crest, top.

creuser, to hollow.

creux, *m.*, hollow.

crève-cœur, *m.*, heartbreak, sorrow.

crever, to break, burst open, tear, split.

cri, *m.*, cry.

cric, *m.*, jackscrew.

crier, to cry, shout, protest; creak; — **la faim,** look famished.

crime, *m.*, crime.

critiquer, to criticize.

croire, to believe; **y —,** believe it; **elle se croyait,** she thought she was.

croix, *f.*, cross.

croquer, to crunch, munch.

crosse, *f.*, butt-end; shepherd's staff.

croupe, *f.*, crupper, back.

cru, *m.*, growth; **vin du —,** native wine.

cruauté, *f.*, cruelty.

cruel, –le, cruel.

crûmes, *past def. of* **croire.**

cueillir, to pick, gather.

cuiller, *f.*, spoon.

cuirassier, *m.*, cuirassier.

cuire, to cook; **vin cuit,** mulled wine.

cuit, –e, *past part. of* **cuire.**

cuivre, *m.*, copper; **—s à trophées,** brass trophies.

curieusement, curiously.

curieu-x, –se, curious, inquisitive, prying.

curiosité, *f.*, curiosity.

cymbale, *f.*, cymbal.

cytise, *m.*, cytisus; trefoil.

D

d' = de

dalle, *f.*, flagstone.

damassé, –e, of damask linen.

dame, *f.*, lady.

dans, in, into; within; through; among; during.

danse, *f.*, dance, ball; **entrer en —,** to become active.

danser, to dance; twinkle.

date, *f.*, date.

datte, *f.*, date (*fruit*).

davantage, more.

de, of, from; by; with; to; than.

débâcle, *f.*, downfall.

débaucher, to entice away.

débordement, *m.*, overflowing, flood.

déborder, to overflow.

déboucher, to uncork, open.

debout, standing.

débraillé, –e, open-breasted, untidy.

début, *m.*, start.

décidément, decidedly.

décider, to decide; **se—,** make up one's mind.

déconvenue, *f.*, failure.

décourager (se), to get disheartened.

découvrir, to discover, find; uncover; **se —,** be discovered.

décrocher, to take down.

dedans, in it, in them; là —, in it, in them, therein.

défaite, f., defeat.

défendre, to forbid.

défilé, m., filing by, review.

défiler, to march past, file by.

défoncer, to sink, shatter.

défroque, f., old uniform.

dégeler, to thaw.

dégrisé, -e, sobered up.

déguiser, to disguise.

déguster, to taste; sip.

dehors, out, outside, on the streets.

déjà, already.

déjeuner, m., breakfast.

déjeuner, to breakfast.

délice, m., delight, pleasure.

délicieu-x, -se, delightful.

demain, to-morrow, next day.

demander, to ask, ask for; se —, ask oneself, wonder.

démanger, to itch.

démener (se), to bestir oneself.

demeurer, to remain, live.

demi-heure, f., half an hour.

demi-jour, m., dim light.

demoiselle, f., young lady, miss; young mistress.

dent, f., tooth; à belles —s, heartily.

dentelé, -e, dented, notched.

dentelle, f., lace.

départ, m., departure.

dépasser, to go beyond.

dépêcher (se), to hurry.

déployer, to display, show.

depuis, since; for.

derni-er, -ère, last.

déroute, f., rout; en —, tattered.

derrière, behind; sabots de —, hind hoofs; train de —, haunches.

dès, from, from the very . . .

des = de les.

désappointer, to disappoint.

désastre, m., disaster.

descendre, to descend, go down; alight; dismount; take down.

descente, f., descent; slope, declivity; à la —, in going down.

désert, -e, desert, deserted.

désespoir, m., despair.

déshonorer, to dishonor.

désoler (se), to be distressed.

desserrer (se), to spread.

desservir, to attend.

dessous, under; au - — de, below, beneath; là- —, beneath it.

dessus, over, above; on it; au- — de, above, over; de —, from; par- —, above.

détacher, to detach; let fly, give (a kick); take off (eyes).

détail, m., detail.

détendre (se), to relax.

deux, two; en — mots, in a few words.

dévaler, to go down.

devant, before, in front of; au- — de, to meet.

devenir, to become; turn; ce que devenait la fille . . .? what was becoming of the daughter . . .?

devient, *pres. ind. of* devenir.

deviner, to guess.

devinrent, devint, *past def. of* devenir.

devoir, to owe; must, ought; be obliged, be to, have to; ça devait être, it must have been; ils devaient partir, they were to depart.

devoir, *m.*, duty; rendre leurs —s, to pay their respects.

dévorer, to eat up.

diable, *m.*, devil, demon, fiend; le — soit de, the deuce take.

dicter, to dictate.

dicton, *m.*, saying, maxim.

Dieu, *m.*, God; mon —, heavens, good gracious, dear me.

différence, *f.*, difference.

difficile, difficult.

digitale, *f.*, foxglove.

digne, worthy.

dimanche, *m.*, Sunday.

dîner, to dine.

diplomatie, *f.*, diplomacy.

dire, to say, tell; mean; — à l'oreille, whisper; se —, say to oneself; say to each other; be said; c'est-à- —, that is to say.

direction, *f.*, direction.

diriger, to direct, send; se —, betake oneself, go.

disant, *pres. part. of* dire.

discours, *m.*, talk.

disette, *f.*, famine.

disparaissaient, *imperf. of* disparaître.

disparaître, to disappear.

disparurent, disparut, *past def. of* disparaître.

disperser (se), to scatter.

dissiper (se), to be dispelled, disappear.

distrait, –e, absent-minded.

distribution, *f.*, distribution.

dit, –e, *past part.;* dit, *pres. ind. and past def. of* dire.

divin, –e, divine; bonté —e! gracious goodness!

dix, ten.

docile, docile, obedient, tractable.

docteur, *m.*, doctor.

doge, *m.*, doge (*chief magistrate of Venice and Genoa*).

doigt, *m.*, finger.

dois, doit, *pres. ind. of* devoir.

donc, then, therefore.

donner, to give; se — le bras, lock arms.

donneur, *m.*, giver.

dont, of which; whose; with which; in which.

dorénavant, henceforth.

dormir, to sleep.

dors, *pres. ind.* of dormir.

dos, *m.*, back.

double, double.

douce, *f.* of doux.

doucement, gently, quietly.

douleur, *f.*, grief.

doute, *m.*, doubt.

douter, to doubt; se — de, suspect.

dou–x, –ce, sweet; gentle.

douze, twelve.

drame, *m.*, drama.

drapeau, *m.*, flag.

dresser, to raise, set up, place; prick up; se —, rise, arise, get up, sit straight.

droit, –e, straight, erect.

droit, *adv.*, directly.

droit, *m.*, right; être en —, to have the right, be justified in.

droite, *f.*, right side; de —, to *or* on the right.

drôle, *adj.*, funny, odd.

drôle, *m.*, rascal.

du = de le.

dû, *past part.* of devoir.

duquel = de lequel.

dur, –e, hard; avoir l'oreille —e, to be dull of hearing.

durer, to last.

E

eau, *f.*, water.

eau-de-vie, *f.*, brandy.

éblouissant, –e, dazzling.

ébranler (s'), to start.

ébrécher, to notch; de longues cheminées ébréchées, tall chimneys with their tops knocked down.

écarter (s'), to step aside.

ecclésiastique, ecclesiastical.

échapper, to escape, avoid.

échaudé, *m.*, cracknel (*brittle cake*).

échelle, *f.*, ladder.

écho, *m.*, echo.

éclabousser, to splash.

éclair, *m.*, flash.

éclairer, to light, give light to; s'—, brighten up.

éclat, *m.*, splendor, brightness.

éclater, to burst out, burst forth.

école, *f.*, school.

écorcher, to chafe, rub the skin of.

écouter, to listen to.

écraser, to crush; overwhelm; s'—, be crushed.

écrier (s'), to exclaim.

écrire, to write.

écrit, –e, *past part. of* écrire.

écriture, *f.*, handwriting lesson.

écrivit, *past def. of* écrire.

écu, *m.*, silver crown (*obsolete French coin*).

écuelle, *f.*, dish.

écume, *f.*, foam.

écurie, *f.*, stable.

effacer, to rub; wear out; dim.

effaré, –e, scared; bewildered.

effet (en), indeed.

efforcer (s'), to try.

effort, *m.*, effort.

effroi, *m.*, fright, terror.

effronté, –e, shameless, impudent.

effrontément, boldly.

égal, –e, equal.

égaré, –e, bewildered.

église, *f.*, church.

égoïste, selfish.

égouttement, *m.*, dripping.

eh! ah; — bien, well.

élan, *m.*, spring; prendre son —, to get ready for a kick.

élever, to raise, lift.

elle, she, it, her; — -même, herself, itself.

embarras, *m.*, embarrassment.

embaumer, to smell good.

embrasser, to embrace.

embrouiller (s'), to get confused.

embuscade, *f.*, ambuscade, ambush.

émeute, *f.*, riot.

emmener, to lead, take.

émouvoir, to move.

émotion, *f.*, emotion.

empailler, to stuff.

empêcher, to prevent, hinder, keep from.

empereur, *m.*, emperor.

empiler, to pile.

empire, *m.*, empire.

emplir, to fill.

empoisonner, to poison.

emporter, to carry, carry away, take, take away.

empreinte, *f.*, die; impression; coin.

emprisonnement, *m.*, imprisonment, arrest.

ému, –e, *past part. of* émouvoir.

en, *prep.*, in, into; to; while; on; like.

en, *pron.*, of it; of him, of her, of them; about it; some, any.

encapuchonné, –e, hooded.

encoignure (*sound encognure*), *f.*, corner, recess.

encombre, *m.*, hindrance, difficulty.

encombrement, *m.*, crush, rush.

encore, yet, still; again; also; — **un,** another; one more; — **un peu,** a little longer.

encorné, -e, horned.

endimanché, -e, wearing one's Sunday clothes, well dressed; Sunday like.

endimanchement, *m.*, Sunday clothes.

endormir (s'), to go to sleep.

endroit, *m.*, place, spot.

enfant, *m.*, *f.*, child; boy; girl; bon , good-natured.

enfermer, to shut up; **s'—,** lock oneself up.

enfin, at last, finally; in short.

enfouir, to hide.

engager (s'), to start, enter.

engoncé, -e, ungainly.

engourdi, -e, benumbed, dull.

engourdissement, *m.*, numbness, torpor.

enguirlander, to wreathe, encircle.

enjamber, to climb over, stride over.

enlever, to take away.

ennui, *m.*, weariness, disgust, tedium.

ennuyer (s'), to become lonesome, get tired, have a stupid time of it.

ennuyeu-x, -se, tiresome.

énorme, enormous, very big.

enragé, -e, mad, crazy; enthusiastic.

enroué, -e, hoarse.

enseigner, to teach.

ensemble, together.

ensommeillé, -e, sleepy, drowsy.

ensuite, afterwards, then.

entasser (s'), to be piled up.

entendre, to hear; understand; — **parler de,** hear of.

entendu, -e, *adj.*, knowing; **bien —,** of course.

entêté, -e, obstinate, infatuated.

entêter (s'), to persist.

enthousiasme, *m.*, enthusiasm.

enti-er, -ère, entire, whole.

entourer, to surround; wrap.

entrain, *m.*, activity, enthusiasm.

entre, between, among.

entrée, *f.*, entrance, coming, entry.

entrefaites (sur ces), in the meantime.

entrer, to enter.

entretenir, to maintain, keep up.

entr'ouvert, -e, *past part. of* **entr'ouvrir.**

entr'ouvrir, to half open, set ajar.

envie, *f.*, desire; **avoir — de,** to have a mind to.

envoler (s'), to fly.

envoyer, to send.

éparpiller (s'), to scatter.

épaule, *f.*, shoulder.

épeler, to spell.

épidémie, *f.*, epidemic.

éprouver, to experience.

équilibre, *m.*, balance.

ermite, *m.*, hermit.

es, *pres. ind. of* être.

escalier, *m.*, staircase.

esclave, *m.*, slave.

escorte, *f.*, escort.

Espagne, *f.*, Spain.

espion, *m.*, spy.

espoir, *m.*, hope.

esprit, *m.*, spirit; mind.

essayer, to try; try on.

essentiel, –le, essential; l'—, the main point.

essieu, *m.*, axle.

essouflé, –e, out of breath.

essuyer, to wipe.

est, *pres. ind. of* être.

et, and.

étable, *f.*, stable.

établir, to set up.

étang, *m.*, pond.

état, *m.*, state, condition; profession.

état-major, *m.*, staff.

été, *past part. of* être.

éteignirent, *past def.;* éteint, *pres. ind. of* éteindre.

éteindre, to extinguish; s'—, die out, go out.

étendre, to stretch; s'—, stretch oneself out.

étincelle, *f.*, spark, particle.

étoile, *f.*, star; à la belle —, in the open air.

étonner, to astonish; s'—, be astonished, wonder.

étouffer, to stifle, choke.

étrange, strange, odd.

être, to be; est-ce que je parle? do I speak; n'est-ce pas, is it not? will you?

être, *m.*, being.

étroit, –e, narrow.

eu, –e, *past part.;* eûmes, eurent, eus, eut, *past def.;* eût, *imperf. subj. of* avoir.

eux, they; them; — -mêmes, themselves.

éveillé, –e, awakened, wide awake.

éveiller (s'), to awake.

éventrer, to rip open.

éviter, to avoid, spare.

évoquer, to evoke, call up.

exaspéré, –e, enraged, very angry.

excellent, –e, excellent, good.

exciter, to excite.

exemple, *m.*, example, model; par —, for instance; I tell you; I must confess.

exercer (s'), to train oneself; practise.

exercice, *m.*, exercise; drill; faire l'—, to drill.

exhaler (s'), to be exhaled, come out.

exigeant, -e, exacting.

expansion, *f.,* outburst of joy, enthusiasm.

explication, *f.,* explanation.

expliquer, to explain; **s'—,** tell one's story.

explosion, *f.,* explosion, outburst.

exportation, *f.,* export.

extraordinaire, extraordinary, unusual.

F

face, *f.,* face, visage; **en —,** opposite.

fâché, -e, angry, sorry, displeased.

fâcher (se), to get angry.

facile, easy.

façon, *f.,* way.

facteur, *m.,* postman.

factionnaire, *m.,* sentry.

fade, tasteless, insipid.

faible, feeble, weak.

faim, *f.,* hunger.

faire, to do, make; cause, order, have; say; be; wage; **il faisait jour,** it was daylight; **il fait un temps admirable,** the weather is fine; **bien fait,** of a nature, well fitted; **tout à fait,** entirely, completely;

very far; **se —,** be done; take place; become; **se — à,** accustom oneself to, get used to; **se — sécher,** dry oneself.

faisant, *pres. part.;* **fait,** *pres. ind.;* **fait, -e,** *past part.* of **faire.**

fait, *m.,* fact; **— d'armes,** exploit.

falloir, to be necessary; must, ought, should; **il fallait voir,** you ought to have seen; **il faut que j'aille,** I must go; **qu'est-ce qu'il te faut,** what ails you?

fallut, *past def.* of **falloir.**

fameu-x, -se, famous.

famille, *f.,* family.

famine, *f.,* famine.

fanfare, *f.,* flourish of trumpets.

faner, to fade, wither.

fantastique, fantastic.

farandole, *f.,* farandole (*a kind of serpentine dance*).

farine, *f.,* flour.

farouche, wild; fierce.

fatigue, *f.,* fatigue.

faubourien, -ne, surburban; low, vulgar.

faudrait, *cond.* of **falloir.**

faufiler (se), to slip, glide.

faut, *pres. ind.* of **falloir.**

faute, *f.,* fault, mistake.

fauteuil, *m.,* armchair.

fédéré, *m.,* communist soldier.

fée, *f.,* fairy.

femme, *f.,* woman; wife.

fendre, to split; **à — l'âme,** in a heartrending way.

fenêtre, *f.,* window.

fer, *m.,* iron; horse shoe; **chemin de —,** railroad.

feraient, *cond.;* **feras,** *fut. of* **faire.**

ferme, *adj.,* firm.

ferme, *f.,* farm.

fermer, to close, shut; **— bien,** close tight; **— sa malle,** get one's trunk ready.

féroce, fierce.

ferré, -e, shod; **très —,** well posted.

fête, *f.,* feast, festival, entertainment; **faire — à,** to welcome, entertain, make much of.

feu, *m.,* fire; **coup de —,** gunshot.

feuille, *f.,* leaf.

fichu, *m.,* neckerchief.

fier, fière, proud, haughty.

fièrement, proudly.

fierté, *f.,* pride, proud feeling.

fifre, *m.,* fife.

figure, *f.,* face.

figurer (se), to imagine.

fil, *m.,* thread; **— de la Vierge,** gossamer, air thread.

filant, -e, shooting.

filature, *f.,* spinning-mill.

file, *f.,* row.

filer, to spin; **— à plat,** sail on their flat sides.

fille, *f.,* girl; daughter.

fillette, *f.,* little girl.

fils, *m.,* son.

fils, *plur. of* **fil.**

fin, *f.,* end.

fin, -e, fine, delicate, dainty; sly.

fin, *adv.,* finely.

fini, -e, over.

finir, to finish; **à n'en plus —,** endless.

firent, fis, fit, *past def. of* **faire.**

fixer, to fix, stare at.

flacon, *m.,* flask.

flagellant, -e, flagellant.

flambeau, *m.,* torch; **le — des astres,** the brightest star.

flamme, *f.,* flame.

Flandre, *f.,* Flanders.

fleur, *f.,* flower; level; **à — d'eau,** between wind and water, along the stream; **assiette à —s,** flowered plate; **jaquettes à grandes —s,** coats trimmed with large figures.

fleuri, -e, florid, rubicund.

flotter, to float, flutter.

flûte, *f.,* flute.

foi, *f.,* faith.

foire, *f.*, fair.

fois, *f.*, time; **une** —, once; **deux** —, twice; **à la** —, at the same time.

folie, *f.*, madness; escapade.

folle, *f. of* **fou.**

follet, **-te,** downy.

fond, *m.*, bottom, rear, back, background, end; depths.

fondre, to melt.

font, *pres. ind. of* **faire.**

fontaine, *f.*, fountain.

force, *f.*, force, strength, might; **à** —**de,** by dint of; **à toute** —, at any cost.

forcer, to force.

forêt, *f.*, forest.

forgeron, *m.*, blacksmith.

former, to form; **se** —, be formed.

fort, **-e,** strong.

fort, *adv.*, loud; very; very much.

fort, *m.*, fort.

forteresse, *f.*, fortress.

fortune, *f.*, fortune.

fosse, *f.*, large ditch.

fou, fol, **-le,** mad, crazy; frivolous.

fou, *m.*, fool.

foudroyant, **-e,** powerful, overwhelming; sudden.

foudroyer, to strike; paralyze.

fouet, *m.*, whip.

foule, *f.*, crowd; **une** — **de paroles,** many words.

fourmi, *f.*, ant.

fourrer (se), to hide oneself.

fourrure, *f.*, fur.

fraîche, *f. of* **frais.**

fraîchir, to freshen, begin to blow.

frais, **fraîche,** fresh; cool; rosy; bright; clean.

franc, *m.*, franc (*about 20 cents*).

fran-c, **-che,** frank.

français, **-e,** French.

Français, *m.*, Frenchman.

France, *f.*, France.

franchir, to cross, leap over.

frange, *f.*, fringe.

frapper, to strike, knock; coin.

frayeur, *f.*, fright.

frémir, to shake, quiver.

frère, *m.*, brother; friar.

frisé, **-e,** curled, curly.

frisotté, **-e,** with very curly hair.

frissonnant, **-e,** shivering.

froid, **-e,** cold.

froid, *m.*, cold.

froideur, *f.*, coldness, coolness.

froissement, *m.*, rumpling.

frôlement, *m.*, rustling.

frôler, to graze.

fromageon, *m.*, small cheese.

froment, *m.*, wheat; food.

frontière, *f.*, frontier.

frotter, to rub.

froufrou, *m.*, rustling.

fruiterie, *f.*, fruit store.

fuite, *f.*, flight.

fumée, *f.*, smoke.

fumer, to smoke.

fureur, *f.*, fury.

furieu-x, -se, furious, angry.

fusil, *m.*, gun; — à pierre, flint-lock.

fusillade, *f.*, firing.

fusiller, to shoot.

fut, *past def. of* être.

G

gagner, to win, reach, earn, get, make.

gai, -e, merry, cheerful.

gaieté, *f.*, gaiety, merriment.

gaillard, -e, jovial, cheerful.

gaîment, cheerfully.

galant, -e, gallant.

galant, *m.*, suitor.

galère, *f.*, galley, boat.

galop, *m.*, gallop.

galopin, *m.*, imp, little fellow.

gambader, to gambol.

gamin, *m.*, brat, boy.

garance, *f.*, madder, madder root.

garçon, *m.*, boy; son; — de ferme, farm hand.

garçonnet, *m.*, little boy.

garde, *f.*, guard; care; attendant, nurse; grand'—, outpost; tomber en —, to stand on the defensive, face the attack.

garde, *m.*, guard; — national, militiaman.

garde-barrière, *m.*, (*railroad*) gateman.

garder, to guard; keep; save; watch; have; — les bêtes, tend sheep; se — (bien) de, take (good) care not to.

garnement, *m.*, scamp, bad boy.

garnir, to fill, cover.

gauche, *f.*, left side; à —, to *or* on the left.

gavotte, *f.*, gavot (*a dance*).

gaz, *m.*, gas.

gazon, *m.*, grass, turf.

geler, to freeze.

gêner, to embarrass, bother; se —, hesitate, scruple.

général, -e, general.

généreu-x, -se, generous.

genêt, *m.*, broom (*shrub*).

genou, *m.*, knee; à —x, on her knees.

gens, *m. and f.*, people.

gentil, -le, nice, kind.

gentiment, gently, gracefully.

gerfaut, *m.*, gerfalcon.

gigot, *m.*, leg of mutton.

glace, *f.*, ice; window; glass shelf.

glissade, *f.*, slide; **faire des —s**, to slide, skate.

glisser, to slide, glide.

globe, *m.*, globe; **sous —**, under a round glass.

gloire, *f.*, glory.

glorieu-x, -se, glorious.

gonflé, -e, swollen.

gosier, *m.*, throat.

gourmande, *f.*, glutton.

gourmandise, *f.*, gluttony.

goût, *m.*, taste, inclination.

goûter, to taste.

goutte, *f.*, drop.

gouverner, to govern.

grâce, *f.*, grace, favor; fashion; **— à**, thanks to.

grade, *m.*, rank.

grain, *m.*, grain.

grammaire, *f.*, grammar.

grand, -e, great; tall; full; wide; big; hot; **— air**, open air; **— ouvert**, wide open.

grand'chose, much.

grand'garde, *f.*, outpost.

grandir, to grow, grow up.

grand'messe, *f.*, high mass.

grand-parent, *m.*, grandparent.

grand-père, *m.*, grandfather.

grand'peur, *f.*, great fear; **avoir —'—**, to be very much afraid.

grappe, *f.*, cluster, bunch.

gras, -se, fat; **dimanche —**, Carnival Sunday; **mardi —**, Shrove Tuesday.

gravats, *m.*, *plur;* rubbish (*of plaster*).

grave, grave, serious.

gravement, gravely.

gravure, *f.*, engraving.

grec, -que, Greek.

grelot, *m.*, little round bell.

grès, *m.*, sandstone.

grillage, *m.*, wire screen; **— aux affiches**, bulletin-board protected by a wire screen.

grille, *f.*, iron gate, door.

grimper, to climb.

grincement, *m.*, scratching.

gris, -e, gray.

griser, to make tipsy.

grommeler, to grumble, mutter.

gronder, to scold.

gros, -se, big, large; thick; coarse; **le cœur —**, with a heavy heart.

gros, *adv.*, large.

grosse, *f. of* gros.

grossir, to swell; get stout.

grotesque, grotesque.

groupe, *m.*, group.

grouper, to group.

guenilles, *f. plur.*, rags, old clothes.

guère, hardly, scarcely; **ne . . . —**, hardly; not . . . much.

guerre, *f.*, war.

guetter, to watch.

guide, *f.*, rein.

guider, to guide.

guirlande, *f.*, wreath.

guise, *f.*, fancy; à sa —, as she likes.

H

[All words in which the h was formerly aspirated are marked thus '.]

'ha! *excl.*, ah! ha!

habiller, to dress.

habit, *m.*, coat, frock-coat; *plur.*, clothes.

habitude, *f.*, habit; d'—, usually.

habitué, *m.*, frequenter, regular visitor.

habituer, to accustom; s'—, accustom oneself, get used.

'hagard, –e, haggard.

'haie, *f.*, hedge.

'haillon, *m.*, rag.

haleine, *f.*, breath; tout d'une —, in the same breath, without taking breath.

haletant, –e, panting.

'hallebarde, *f.*, halberd.

'hanneton, *m.*, May-bug.

harmonie, *f.*, harmony; table d'—, sound-board; lute.

'harnacher, to harness, dress, bedeck.

'hâte, *f.*, haste; en —, in a hurry.

'haut, –e, high, tall, loud.

'haut, *adv.*, high; aloud, loud; en —, up, upstairs; là- —, up there; upstairs.

'haut, *m.*, top; back.

'hauteur, *f.*, height.

'hé! *excl.*, ho; hey; well! I say.

'hein! *excl.*, what? well? say; will you? does it not?

hélas! (*sound the* s) alas.

hémiplégie, *f.*, partial paralysis; une belle et bonne —, a plain case of partial palsy.

herbe, *f.*, grass.

héroïque, heroic.

héron, *m.*, heron (*bird*).

heure, *f.*, hour; o'clock; time; tout à l'—, presently; a little while before; a little while ago.

heureu–x, –se, happy, fortunate.

'heurt, *m.*, clash, clanking.

hier, yesterday.

hirondelle, *f.*, swallow.

'hisser, to hoist; se —, stand on tiptoe.

histoire, *f.*, history; story.

hiver, *m.*, winter.

'hochement, *m.*, shaking.

'hocher, *m.*, shake.

homme, *m.*, man.

honnêtement, fairly.

honneur, *m.*, honor; faire —, to honor, do credit.

'honte, *f.*, shame; avoir —, to be ashamed.

'honteu-x, -se, ashamed.

'hop! *excl.*, hop.

horizon, *m.*, horizon.

horloge, *f.*, clock, grandfather's clock.

hôte, *m.*, host.

hôtel, *m.*, mansion; hotel; — de ville, City Hall.

'houblon, *m.*, hop.

'houle, *f.*, surge; medley.

'houppelande, *f.*, overcoat.

'huit, eight; — jours, a week.

humain, -e, human.

humeur, *f.*, humor.

humiliation, *f.*, humiliation.

'hurlement, *m.*, howling.

'hurrah, *m.*, hurrah, shout.

I

ibis, *m.*, ibis (*bird*).

ici, here.

idée, *f.*, idea, thought; plan.

il, he; it; there.

île, *f.*, island.

illusion, *f.*, illusion.

illustre, illustrious.

image, *f.*, image, picture, sight.

imaginaire, imaginary.

imaginer, to imagine, picture; s'—, imagine.

imbécile, *m.*, fool.

imiter, to imitate.

immense, enormous.

immobile, motionless.

immobilité, *f.*, immobility, inertia.

impatience, *f.*, impatience.

impatient, -e, impatient.

imperceptible, inaudible.

impérial, -e, imperial.

imposer, to impose.

impossible, impossible.

imprécation, *f.*, imprecation, curse.

improviste (à l'), unexpectedly.

incessant, -e, incessant, constant.

incroyable, incredible.

indemnité, *f.*, indemnity.

indépendant, -e, independent.

indignation, *f.*, indignation.

indigné, -e, indignant.

indiquer, to show the way to.

inerte, inert, lifeless.

inexact, -e, unpunctual.

infâme, infamous.

infatigable, indefatigable, untiring.

informer (s'), to inquire.

infortuné, -e, unfortunate.

injure, *f.*, insult.

innocemment, innocently, naïvely.

innocent, -e, innocent, guileless, ingenuous.

inonder, to flood.

inouï, -e, unheard of, extraordinary.

inqui-et, -ète, uneasy.

inquiéter (s'), to be uneasy, fret.

inquiétude, f., anxiety.

insaisissable, imperceptible.

insatiable, insatiable, insatiate.

insignes, m. plur., insignia.

insolent, -e, overbearing.

inspection, f., inspection.

installation, f., building.

installer (s'), to sit down.

instant, m., instant.

instruction, f., education.

instruire, to educate.

instruit, -e, past part. of **instruire.**

intéresser, to interest.

intérêt, m., interest.

interrogatoire, m., questioning.

interroger, to question.

intimider (s'), to become nervous, become confused.

intrigant, m., intriguer.

intrigue, f., intrigue.

invasion, f., invasion.

inventer, to invent.

invention, f., invention; scheme; story.

investissement, m., siege.

inviter, to invite.

irais, cond. of **aller.**

Italie, f., Italy.

J

j' = **je.**

jabot, m., shirt-frill.

jamais, ever, never; **ne . . . —,** never.

jambe, f., leg.

janvier, m., January.

jaquette, f., jacket, coat.

jardin, m., garden.

jardinet, m., little garden.

jardinier, m., gardener.

jaser, to gossip.

jaune, yellow.

je, I.

jeter, to throw; **— à bas,** tear down; **se —,** throw oneself, fall upon.

jeu, m., game, play.

jeudi, m., Thursday.

jeûn (à), fasting, without breakfast.

jeune, young.

jeunesse, f., youth; young people.

joie, f., joy.

joignant, pres. part. of **joindre.**

joindre, to join, clasp.

joli, –e, pretty.

joncher, to strew.

jouer, to play.

joueur, *m.*, player; — de fifre, fifer.

jour, *m.*, day, daylight; petit —, dawn; — tombant, nightfall; — levant, break of day.

journal, *m.*, newspaper.

journée, *f.*, day.

joyeusement, joyfully; in a cheerful mood.

joyeu–x, –se, cheerful.

jubilant, –e, exultant.

juge, *m.*, judge.

juillet, *m.*, July.

jupe, *f.*, skirt.

jurer, to swear.

jusque *or* jusqu'à, until, till; to, up to; as far as; even; down to; — -là, till then.

juste, exactly; tout — comme, just as, at the very moment when.

justement, precisely; — ce jour-là, on that special day.

justice, *f.*, justice, credit.

K

képi, *m.*, military cap.

L

l' =le, la; l'on, one.

la, *f. of* le.

là, there; ce matin- —, that morning; par —, that way.

lacté, –e, milky.

là-bas, down there, over there, yonder.

là-dessous, beneath it.

là-dessus, on that subject; thereupon; par — - —, above all that.

là-haut, up there; upstairs.

laisser, to let, leave, allow; — paraître, show; se — tromper, allow oneself to be deceived.

lait, *m.*, milk.

lambeau, *m.*, rag; en —x, torn, tattered.

lambrusque, *f.*, wild grape-vine.

lamenter (se), to lament, whine.

langue, *f.*, tongue, language.

languir, to languish; flag; lag; se —, pine away; se — de, pine for, miss very much.

lard, *m.*, bacon.

large, broad, wide.

large, *m.*, breadth; du —, plenty of room.

larme, *f.*, tear.

lasser (se), to get wearied.

latin, *m.,* Latin.

latte, *f.,* cavalry saber.

lavande, *f.,* lavender.

laver, to wash; clear.

lazaret, *m.,* pest-house.

le, la, l', les, *art.,* the.

le, la, l', les, *pron.,* him, her, it, them; so.

leçon, *f.,* lesson.

lecteur, *m.,* reader.

lecture, *f.,* reading.

légendaire, *m.,* collection of legends, folk-lore.

lég–er, –ère, light, slight.

légèrement, lightly.

lendemain, *m.,* next day, following day.

lenteur, *f.,* slowness.

lequel, laquelle, lesquels, lesquelles, which, who, that.

les, *plur. of* **le.**

lettre, *f.,* letter.

leur, *adj.,* their.

leur, *pron.,* to them, them; **le —, la —,** theirs.

levant, –e, rising.

lever, to raise, lift; shrug; **se —,** rise, get up.

lèvre, *f.,* lip.

lézard, *m.,* lizard.

liberté, *f.,* liberty, freedom.

libre, free.

librement, freely.

lice, *f.,* warp; **haute —,** expensive tapestry (*woven with the chain vertical*).

lieu, *m.,* place; **au — de,** instead of.

lieue, *f.,* league (*2½ English miles*).

ligne, *f.,* line.

lilas, *m.,* lilac.

limbes, *m. plur.,* limbo; numbness.

linge, *m.,* linen.

lion, *m.,* lion.

liqueur, *f.,* liquor, cordial.

lire, to read.

lisant, *pres. part. of* **lire.**

lisière, *f.,* edge.

lit, *m.,* bed.

livre, *m.,* book.

loger, to live; **se —,** reside, live.

loin, far, far away; **de —,** at a distance; **de — en —,** at intervals.

lointain, –e, distant.

long, –ue, long; **à la longue,** in the long run.

long, *m.,* length; **le — de,** along; down; **tout au —,** from beginning to end; **de tout son —,** his whole length, at full length.

longe, *f.,* tether.

longtemps, long, for a long time.

longue, *f. of* **long.**

lorgnette, *f.,* field-glass.

lorsque, when.

louange, *f.,* praise.

loucher, to squint; stare.

louer, to praise; hire; se —, hire oneself out.

loup, *m.*, wolf.

lourd, -e, heavy; thick.

loyal, -e, loyal.

lueur, *f.*, (dim) light.

lui, to him; to her; to it; him, her, it; — -même, himself, itself.

luire, to shine.

luisait, *imperf. of* luire.

luisant, e, shining, glossy.

lumière, *f.*, light.

lunettes, *f. plur.*, spectacles.

lut, *past def. of* lire.

luthier, *m.*, lute-maker.

lutter, to struggle.

Lyon, Lyons.

lyrique, lyric.

M

M. = Monsieur.

m' = me.

ma, *f. of* mon.

magie, *f.*, magic.

magnan, *m.*, silkworm.

magnétique, magnetic.

magnifique, magnificent, splendid.

mai, *m.*, May.

maigre, lean, thin; dull.

maigrir, to become thin, lose flesh.

main, *f.*, hand; side; de la —, on the side of the led horse.

maintenant, now.

maire, *m.*, mayor.

mairie, *f.*, town hall.

mais, but; why! — oui, why yes; — non, no indeed.

maison, *f.*, house.

maisonnette, *f.*, small house.

maître, *m.*, master; school-master; employer.

maîtresse, *f.*, mistress, lady of the house.

maîtresse, *adj.*, superior.

maîtrise, *f.*, singing-school for choir-boys.

mal, *adv.*, badly; wrong.

mal, *m.*, harm; faire — à, to hurt.

mal, -e (*obsolete adj.*), bad, great, bitter.

malade, sick.

malade, *m.*, patient.

malgré, in spite of.

malheur, *m.*, misfortune; par —, unfortunately.

malheureusement, unfortunately.

malheureu-x, -se, unhappy, unfortunate, wretched, un-lucky.

malheureux, *m.*, wretch.

malhonnêtement, rudely.

malice, *f.*, teasing.

mal-in, -igne, shrewd, sly, malicious, roguish; clever.

malingre, sickly, puny.

malle, *f.*, trunk.

manche, *f.*, sleeve; — **à gigot,** leg of mutton sleeve.

mangeoire, *f.*, manger.

manger, to eat; wear out.

manière, *f.*, manner, way; **bonnes —s,** kind greetings; attentions.

manquer, to miss, be missing; fail; lack, be lacking.

manuscrit, *m.*, manuscript.

maquis, *m.*, thicket.

marche, *f.*, march, step, progress; **se mettre en —,** to start.

marché, *m.*, market-place.

marcher, to walk; **ça marche,** everything is progressing nicely.

mardi, *m.*, Tuesday.

maréchal, *m.*, marshal.

marelle, *f.*, hop-scotch.

marguillier, *m.*, churchwarden.

mari, *m.*, husband.

mariage, *m.*, marriage.

marier, to marry; **se — avec,** marry.

marine, *f.*, navy; **soldat de —,** marine.

marjolaine, *f.*, sweet marjoram (*plant*).

marquer, to show; — **le pas,** beat the time.

Marseille, Marseilles.

marteau, *m.*, hammer.

martyre, *m.*, martyrdom.

masser (se), to gather, muster.

massif, *m.*, cluster (*of shrubs*).

massue, *f.*, club.

masure, *f.*, tumble-down building.

maternel, –le, maternal, native.

matin, *m.*, morning; **de si grand —,** so early.

matinée, *f.*, morning.

maudire, to curse.

maudit, –e, *past part. of* **maudire.**

maugréer, to grumble.

maussade, gloomy.

mauvais, –e, bad; unpleasant; poor.

mauvais, *m.*, worthless fellow, rascal.

me, me, to me.

méchamment, wickedly.

méchant, –e, wicked, bad.

méchante, *f.*, naughty girl.

médaille, *f.*, medal.

méfier (se), to distrust, beware.

meilleur, –e, better; best.

mélancolique, melancholy, sad.

mêler, to mingle, mix; **se — à,** join.

membre, *m.*, member.

même, *adj.*, self; same; very; **à l'heure —,** at the very hour.

même, *adv.*, even; tout de —, all the same.

ménager, *m.*, (*dialectal word*) farmer.

mener, to lead, take.

mens, *pres. ind. of* mentir.

mentir, to lie.

menton, *m.*, chin.

merci, thanks; Dieu —, thank God.

mère, *f.*, mother.

merle, *m.*, blackbird.

merveilleu-x, -se, marvelous, wonderful.

mes, *plur. of* mon.

messe, *f.*, mass; grand'—, high mass.

mesure, *f.*, measure; à — que, in proportion as.

met, *pres. ind. of* mettre.

métairie, *f.*, farm.

métal, *m.*, metal.

métier, *m.*, trade, profession; loom.

mettre, to put, put on, place, set; se — à (+*infinitive*), begin to; se — à table, sit down to eat.

meule, *f.*, millstone.

meunerie, *f.*, miller's business.

meunier, *m.*, miller.

meunière, *f.*, miller's wife, miller's daughter.

meurtrière, *f.*, loophole.

microscopique, microscopic, infinitely small.

midi, south; noon.

mien (le), la mienne, mine.

mieux, better; best; aimer —, to prefer; de mon —, the best I could.

mignon, -ne, pretty, dainty.

milieu, *m.*, middle, midst.

militaire, military.

mille, thousand.

mine, *f.*, mien, look; faire — de, to pretend to.

miniature, *f.*, miniature.

minoterie, *f.*, steam mill.

minotier, *m.*, owner of a steam mill.

minuit, *m.*, midnight.

minute, *f.*, minute.

mioche, *m.*, brat, urchin.

miracle, *m.*, miracle.

miraculeu-x, -se, miraculous, of miracles.

mirent, mis, *past def.;* mis, -e, *past part. of* mettre.

miser, to stake.

misérable, *m.*, wretch, rascal.

misère, *f.*, misery.

miséricorde, *f.*, mercy.

mistral, *m.*, mistral (*cold northwest wind in Southern France*).

mit, *past def. of* mettre.

mitraille, *f.*, grape-shot.

mitre, *f.*, miter.

mitron, *m.*, baker's apprentice, baker's errand boy.

mobile, *m.*, militia man.

mode, *f.*, fashion; **mettre à la —**, to render popular.

moi, I, me, to me; **— -même**, myself.

moindre, less; least.

moins, less, least; **au —**, at least.

mois, *m.*, month.

moisson, *f.*, harvest.

moitié, *f.*, half; **à —**, half.

moment, *m.*, moment.

mon, ma, mes, my.

monde, *m.*, world; people; **tout le —**, everybody.

monsieur, *m.*, sir; Mr.; gentleman.

monstre, *m.*, monster.

montagne, *f.*, mountain.

montant, –e, (*waist*) short.

montée, *f.*, ascent.

monter, to mount, ascend, go up, come up, climb; rise; extend; stock.

montrer, to show, point out; **se —**, show oneself; point out to one another.

m o q u e r (se), to make fun.

morceau, *m.*, piece.

morne, sad, gloomy.

mort, –e, dead; *also past part. of* mourir.

mort, *f.*, death.

mot, *m.*, word; countersign; joke, witticism.

motus, *excl.* (*sound the s*), hush! not a word!

mouchard, *m.*, spy.

mouche, *f.*, fly.

moucheté, –e, spotted, dappled.

moucheron, *m.*, gnat.

mouchoir, *m.*, handkerchief.

moudre, to grind.

mouiller, to wet, moisten.

mouillure, *f.*, wetting.

moulin, *m.*, mill; **— à vent**, windmill.

moulu, –e, *past part. of* moudre.

mourir, to die; go out.

mourut, *past def. of* mourir.

moustache, *f.*, mustache.

mouton, *m.*, sheep.

mouvement, *m.*, movement, motion.

moyen, *m.*, means.

muet, –te, mute, silent.

mule, *f.*, mule.

mulet, *m.*, mule.

multiplier (se), to be multiplied; be displayed.

mur, *m.*, wall.

muraille, *f.*, wall.

murmure, *m.*, murmur.

muscat, *m.*, muscatel (*wine*).

musique, *f.*, music; band.

myrte, *m.*, myrtle.

mystère, *m.*, mystery.

mystérieu–x, –se, mysterious.

N

n' = ne.

nacre, *f.*, mother-of-pearl.

nager, to swim; nageant des pattes, dangling.

naï-f, –ve, naïve, artless, candid, innocent, simple.

naïvement, naïvely, candidly.

napolitain, –e, Neapolitan.

nappe, *f.*, tablecloth.

narguer, to mock, tantalize.

narine, *f.*, nostril.

nation, *f.*, nation.

national, –e, national.

navette, *f.*, shuttle.

navré, –e, heartbroken; very sad.

ne, no, not; — . . . pas, not; — . . . pas de, no, not any; — . . . guère, hardly, scarcely; — . . . jamais, never; — . . . point, not at all; — . . . que, only, but; — . . . rien, nothing.

neige, *f.*, snow.

net, –te, neat, clear.

neu-f, –ve, new; newly written.

neuve, *f. of* neuf.

neveu, *m.*, nephew.

nez, *m.*, nose.

ni, neither; nor.

nid, *m.*, nest; courir les —s, to go nest hunting.

noble, *m.*, noble, nobleman.

noce, *f.*, wedding.

nœud, *m.*, knot.

noir, –e, black, dark.

noisette, *f.*, hazelnut.

nom, *m.*, name.

nommer, to call.

non, no, not; — pas que, not that, not because; — plus, no more, no longer; ni . . . — plus, nor . . . either.

nord, *m.*, north.

nos, *plur. of* notre.

notre, our; — chèvre, that goat of ours.

nôtre (le, la), ours.

nourrir, to feed.

nous, we, us, to us, ourselves; each other, to each other.

nou-veau, –vel, –le, new; other; new kind of.

nouvelle, *f.*, piece of news, news, tidings.

noyer, to drown; hide; se —, be drowned.

noyer, *m.*, walnut-tree.

nu, –e, naked, bare.

nuit, *f.*, night; cette —, tonight; de —, by night.

nullement, not at all.

numéroter (se), to number oneself, answer the roll-call.

O

objet, *m.*, object.

obliger, to oblige.

observation, *f.*, objection.

obus, *m.* (*sound the s*), shell.

occupé, -e, busy.

odeur, *f.*, odor, smell.

œil, *m.*, eye.

œuvre, *m. and f.*, work; banc d' —, churchwarden's pew.

officier, *m.*, officer.

offrir, to offer.

ogive, *f.*, ogive, pointed arch; en —, ogival, pointed.

ohé! *excl.*, halloo!

oiseau, *m.*, bird.

olivade, *f.*, olive-gathering.

olivier, *m.*, olive-tree.

ombre, *f.*, shade, shadow.

ombrelle, *f.*, parasol.

on *or* l'on, one, people, they, we, you.

ondé, -e, wavy.

onduler, to undulate.

opération, *f.*, operation.

opérer, to operate; — sur, act upon, influence.

or, *conj.*, now.

or, *m.*, gold; d' —, golden.

orage, *m.*, electric storm.

ordinaire, ordinary; d' —, usually.

ordination, *f.*, ordination, installation.

ordre, *m.*, order.

oreille, *f.*, ear; parler *or* dire à l' —, to whisper.

oreiller, *m.*, pillow.

Orion, *m.*, Orion (*a southern constellation*).

orme, *m.*, elm.

orner, to adorn.

orpheline, *f.*, orphan girl.

orphelinat, *m.*, orphanage.

oser, to dare.

osier, *m.*, wicker.

ou, or.

où, where; d' —, whence? par —, which way?

ouaille, *f.*, sheep; *plur.*, flock.

oublier, to forget.

oui, yes.

ourdisseuse, *f.*, warper.

ourse, *f.*, she-bear; la grande Ourse, the Great Bear *or* Ursa Major (*in astronomy*).

ouvert, -e, *past part. of* ouvrir.

ouvrage, *m.*, work.

ouvre, *pres. ind. and imper. of* ouvrir.

ouvrir, to open; s' —, to open; bloom.

P

page, *m.*, page (*boy*).

page, *f.*, page (*of a book*).

paille, *f.*, straw.

pain, *m.*, bread.

paisible, peaceful.

paix, *f.*, peace.

palais, *m.*, palace.

pâle, pale; dim.

pâlir, to become pale.

palme, *f.*, palm.

pan, *m.*, side.

panier, *m.*, basket.

panique, *f.*, panic.

panneau, *m.*, panel.

papa, *m.*, papa, father.

papal, *e*, papal

pape, *m.*, pope.

papier, *m.*, paper.

Pâques, *m.*, Easter.

par, by, through; in;—là, that way; — là-dessus, above all that; — où, which way; — semaine, a week.

paradis, *m.*, paradise.

paraissait, *imperf.;* paraît, *pres. ind. of* paraître.

paraître, to appear.

paralysie, *f.*, paralysis.

parbleu (*a corruption of* par Dieu), of course; upon my word.

parc, *m.*, sheepfold.

parce que, because.

par-dessus, above, over.

pareil, –le, alike, like it, such.

parents, *m. plur.*, parents.

parer, to adorn, dress up.

paresseu –x, –se, lazy.

parfum, *m.*, perfume, flavor.

parfumer, to perfume, scent.

Parisien, –ne, Parisian.

parler, to speak.

parmi, among, amidst.

parole, *f.*, word.

part, *m.*, part, share; à —, aside; de ma —, for me.

partage, *m.*, division.

partager, to share, divide.

parterre, *m.*, flower bed.

parti, *m.*, party; être du — de, to side with.

participe, *m.*, participle.

partie, *f.*, game.

partir, to depart, leave, issue, set out, start; à — de . . ., from . . . on.

partout, everywhere; un peu —, here and there.

paru, –e, *past part.;* parurent, parut, *past def. of* paraître.

parvenir, to succeed.

parvint, *past def. of* parvenir.

pas, *m.*, step; threshold; au — de course, in quick time.

pas, *adv.*, no, not; ne . . . —, no, not.

passage, *m.*, passage; au — *or* sur son —, as she passed.

passementer, to lace, adorn.

passer, to pass, spend; be visible; se —, pass, elapse, happen, take place.

passereau, *m.*, small bird.

passion, *f.*, passion, love.

patati et patata, tittle-tattle, and so on and so forth.

pâte, *f.,* paste, pastry.

pâté, *m.,* patty, cake.

patience, *f.,* patience.

pâtissier, *m.,* pastry-cook.

patois, *m.,* dialect.

pâtre, *m.,* shepherd.

patrie, *f.,* native land.

patriotique, patriotic.

patriotisme, *m.,* patriotism.

patte, *f.,* paw, foot.

pâturage, *m.,* pasture.

pauvre, *adj.,* poor.

pauvre, *m.,* beggar; **de —,** pitiful.

pauvrette, *f.,* poor little one.

pavé, *m.,* pavement.

pavoiser, to deck, dress (*with flags*).

payer, to pay; offer.

pays, *m.,* country; fatherland; district; village.

paysan, *m.,* peasant.

peau, *f.,* skin.

pécaïre (*a Provençal exclamation*), alas! isn't that too bad?

pêcher, to fish.

peindre, to paint.

peine, *f.,* grief; trouble, difficulty; **à —,** hardly, scarcely, no sooner; **faire de la —,** to grieve; **ce n'est pas la —,** it is not worth while.

peint, -e, *past part. of* **peindre.**

pêle-mêle, pell-mell.

pèlerinage, *m.,* pilgrimage.

pèlerine, *f.,* cape.

pencher, to bend, lean, stoop; **se —,** lean; stoop.

pendant, during, for; **— que,** while.

pendre, to hang.

pendule, *f.,* clock, mantel-clock.

pénétrer, to enter.

pénitent, *m.,* penitent.

pensée, *f.,* thought, idea.

penser, to think; **j'y pense,** I think of it.

pensionnaire, *m. and f.,* boarder.

pente, *f.,* slope; **en —,** sloping.

percher, to perch.

perdre, to lose, waste; **se —,** get lost.

père, *m.,* father; **le — Stenne,** old Stenne.

perle, *f.,* pearl.

perron, *m.,* porch, stoop.

persienne, *f.,* outside shutter.

personne, *f.,* person; **en —,** herself.

personne, *m.,* anybody; nobody; **ne . . . —,** nobody.

perspective, *f.,* prospect.

peser, to weigh; rest.

pétard, *m.,* fire-cracker.

petit, -e, small, little.

petit, -e, *m. or f.,* little one

youngster; **les tout —s,** the youngest section.

petite-fille, *f.,* granddaughter.

pétrole, *m.,* kerosene oil.

peu, little; **— à —,** gradually; **— de chose,** not much, a trifle.

peuple, *m.,* nation.

peur, *f.,* fear; **avoir —,** to be afraid; **faire —,** frighten; **de — de,** for fear of, in order not to.

peut-être, perhaps.

phrase, *f.,* sentence.

physionomie, *f.,* physiognomy, appearance, face.

piano, *m.,* piano.

pic, *m.,* peak.

pièce, *f.,* piece; room; coin.

pied, *m.,* foot; **mettre sur —,** to set (somebody) on his feet.

pierre, *f.,* stone.

piétiner, to trample, walk.

pieu, *m.,* stake.

pigeon, *m.,* pigeon.

pile, *f.,* pile, heap.

pin, *m.,* pine-tree.

pincer, to pinch; arrest.

pipe, *f.,* pipe.

piquer, to stick.

pis, worse, worst.

pitié, *f.,* pity.

pittoresque, picturesque.

place, *f.,* place, spot, square; room; seat; job, position; **à leur —,** on their sites.

placer, to place.

plafond, *m.,* ceiling.

plaignait, *imperf. of* plaindre.

plaindre (se), to complain.

plaine, *f.,* plain.

plainte, *f.,* wail.

plaire, to please.

plaisir, *m.,* pleasure; fun.

plaît, *pres. ind. of* **plaire.**

planter, to plant.

plat, –e, flat; **à —,** on their flat sides.

plateau, *m.,* table-land.

plate-forme, *f.,* platform.

plâtras, *m.,* piece of dried mortar, old plaster.

plâtre, *m.,* plaster.

Pléiade, *f,.* Pleiades, Pleiads, the seven stars.

plein, –e, full; **en — jour,** in broad daylight; **en — trottoir,** right on the sidewalk.

pleurer, to weep.

pliant, *m.,* camp-stool, folding-stool.

plier, to fold.

plisser, to plait.

pluie, *f.,* rain; **— d'orage,** stormy shower.

plume, *f.,* feather; pen.

plus, more, no more; most; **— d'un,** more than one; **de — que,** more; **de — en —,** more and more; **ne . . .**

—, no more, no longer;
ne . . . — que, nobody
but; nothing else but;
ni . . . non —, nor . . .
either.

plusieurs, several.

plutôt, rather.

poche, *f.*, pocket.

poème, *m.*, poem.

poète, *m.*, poet.

poignée, *f.*, handful.

poil, *m.*, hair.

pointe, *f.*, point, top, highest
point.

pois, *m.*, pea; **petits —,** green
peas.

polaire, polar.

poliment, politely.

polir, to polish; **se —,** become
shining.

politesse, *f.*, politeness.

politique, *f.*, politics.

pomme de terre, *f.*, potato.

pommette, *f.*, cheek-bone.

pompeusement, stately.

pompon, *m.*, tuft.

pont, *m.*, bridge.

pontife, *m.*, pontiff.

portail, *m.*, portal, doorway.

porte, *f.*, door, gate, threshold.

porter, to carry, bring.

portrait, *m.*, portrait.

posé, -e, *adj.*, sedate, quiet.

poser, to place, lay; **se —,**
place oneself; be laid; alight.

position, *f.*, position.

poste, *m.*, post, military post.

poster (se), to place oneself,
take one's station.

pot, *m.*, pot, pitcher.

poudre, *f.*, powder.

pour, for, to, in order.

pourboire, *m.*, tip.

pourpoint, *m.*, doublet, jacket.

pourpre, purple.

pourquoi, why.

pourtant, however.

pourvu que, provided that, if
only.

poussée, *f.*, rush, crush.

pousser, to push, drive;
wheel; send forth; utter;
urge; grow; **se — du coude,**
nudge each other.

poussière, *f.*, dust; **— humide,** spray; **— de soleil,**
golden haze.

poussiéreu-x, -se, dusty.

poussinière, *f.*, chicken-coop;
(*pop. astr*) Pleiades.

pouvoir, to be able, can, may.

pratique, *f.*, customers.

pré, *m.*, meadow.

précaution, *f.*, precaution.

prêchi-prêcha, *m.*, preach-
ing, sermon.

précieu-x, -se, precious.

précipiter (se), to rush, throw
oneself.

précis, -e, sharp.

préférence, *f.*, preference.

premi–er, –ère, first.

prenait, *imperf.;* prenant, *pres. part. of* prendre.

prendre, to take; take up; undertake; assume; join; — son élan, get ready for a kick; — le soleil, bask in the sun; s'y —, go about it.

prenez, *imper. and pres. ind. of* prendre.

préparer, to prepare; se —, get ready.

près, *adv.,* near; — de, *conj.,* near, by.

présence, *f.,* presence.

présent (à), now.

présenter, to present.

presque, almost.

pressé, –e, in a hurry.

presser, to press, hurry; se —, hurry; crowd, swarm.

prestance, *f.,* bearing.

prêt, –e, ready.

prétendre, to claim.

prétexter, to pretext, plead.

preuve, *f.,* proof; à —, for instance.

prévenance, *f.,* kindness.

prévenir, to warn.

prévision, *f.,* prevision, forecast.

prier, to beg.

prince, *m.,* prince.

principalement, especially.

principe, *m.,* principle, beginning.

printemps, *m.,* spring.

prirent, *past def. of* prendre.

pris, –e, *past part. of* prendre.

prise, *f.,* taking; — d'armes, call to arms.

prison, *f.,* prison.

prisonnier, *m.,* prisoner.

prit, *past def. of* prendre.

privation, *f.,* privation.

priver, to deprive.

prix, *m.,* price; prize.

probable, probable, likely.

procession, *f.,* procession, long line.

prodigieu–x, –se, wonderful.

produire, to cause.

produit, –e, *past part. of* produire.

profiter, to profit.

profond, –e, profound, deep.

promenade, *f.,* walk.

promener, to take about; se —, take a walk *or* a ride.

prononcer, to pronounce.

propos (à), by the way.

proposer, to offer.

propriété, *f.,* property.

protéger, to protect.

protester, to protest.

prouver, to prove.

provençal, –e, Provençal.

proverbe, *m.,* proverb.

province, *f.,* province; en —,

outside of Paris, in the country.

provision, *f.,* provision.

prussien, –ne, Prussian.

Prussien, *m.,* Prussian.

pu, *past part. of* **pouvoir.**

puis, then.

puisque, since.

puissant, –e, powerful.

punir, to punish.

punition, *f.,* punishment; extra task (*at school*).

pupille, *m.,* ward.

pupitre, *m.,* desk.

purent, pus, put, *past def. of* **pouvoir.**

Q

qu' = **que.**

qualité, *f.,* quality.

quand, when.

quant à, as to.

quarante, forty.

quart, *m.,* quarter; fourth.

quartier, *m.,* quarter, district.

quatre, four.

quatre-vingts, eighty.

quatrième, fourth.

que, *conj.,* that; than; as; how; when; **ne . . . —,** only, but; **—de!** how many!

que, *pron.,* whom, which, that, what; **qu'est-ce que c'est?** what is it?

quel, –le, what.

quelque, some, any; **— chose,** something; **— que,** whatever.

quelquefois, sometimes.

quelqu'un, some one.

quenouille, *f.,* distaff.

question, *f.,* question.

quêteu–r, –se, begging, mendicant.

queue, *f.,* tail; rear.

qui, who, whom; which, that; **ce —,** what.

quinzaine, *f.,* fortnight.

quinze, fifteen; **— jours,** fortnight.

quitter, to leave.

quoi, what, which; **à — bon?** what's the use? **de —,** the wherewithal, enough; **sur —,** thereupon.

quoique, although.

R

raconter, to relate, tell.

radieu–x, –se, radiant, beaming.

raffoler de, to dote on, be very fond of.

rafler, to carry off; arrest.

rafraîchir, to cool.

rafraîchissement, *m.,* cooling effect.

rage, *f.,* rage.

raide, stiff; tomber —, to fall
at full length.

raideur, *f.*, stiffness.

raison, *f.*, reason, argument.

ramasser, to pick up.

ramener, to bring back,
bring home.

rampe, *f.*, handrail, railing.

ramper, to creep, crawl.

rancune, *f.*, grudge, spite.

rancuni-er, –ère, spiteful.

rang, *m.*, rank; row.

ranger, to arrange, être ran-
gé, be sitting (*in rows*).

rapidement, quickly.

rappel, *m.*, call to arms.

rappeler (se), to remember.

rapprocher (se), to come nearer.

rare, scarce.

ras, *m.*, level.

rassurer, to reassure.

rateau, *m.*, rake.

rattraper, to overtake.

ravi, –e, delighted.

ravin, *m.*, ravine.

raviser (se), to change one's
mind.

ravissement, *m.*, delight, joy.

rayon, *m.*, shelf.

rayonnant, –e, beaming.

réactionnaire, *m.*, reaction-
ary, conservative (*in politics*).

réaliser (se), to be realized.

rebord, *m.*, edge.

réception, *f.*, reception, welcome.

recevoir, to receive, welcome.

réchapper, to escape; en —,
get out of this safe and
sound.

réchaud, *m.*, chafing-dish,
dish-warmer.

recherche, *f.*, search, investi-
gation.

récit, *m.*, narrative, story.

réciter, to recite.

recommandation, *f.*, recom-
mendation, advice.

recommencer, to begin again.

récompenser, to reward.

reconnaître, to recognize.

reconnus, –t, *past def. of* reconnaître.

reçu, –e, *past part.*; reçut,
past def. of recevoir.

recueilli, –e, pensive.

reculer, to retreat, fall back.

rédiger, to draw up, write.

redingote, *f.*, frock-coat.

redire, to repeat.

redonner, to give back.

redoubler, to increase the
number.

redresser (se), to stand up
again.

refuser, to refuse, decline.

regard, *m.*, glance, look;
countenance; mind's eye.

regarder, to look, look at; se
—, look at each other.

règle, *f.*, rule; ruler.
régler, to settle.
regretter, to regret.
rein, *m.*, kidney; *plur.*, back.
reine, *f.*, queen.
rejoindre, to join.
relever, to lift.
religieusement, religiously.
relique, *f.*, relic.
reluire, to glitter, sparkle.
reluisant, –e, shining.
remarquer, to notice.
remblai, *m.*, embankment.
remercier, to thank.
remettre, to put back, post-
    pone; give; hand; recover.
remis, –e, *past part. of* remet-
    tre.
remonter, to go up.
rempart, *m.*, rampart.
remplacer, to replace.
remplir, to fill.
remuement, *m.*, moving.
remuer, to move; stir; wave.
rencontrer, to meet.
rendre, to render, return,
    give back; make; pay.
renom, *m.*, fame, reputation.
rente, *f.*, yearly income.
renseigner, to give informa-
    tion.
rentrée, *f.*, return.
rentrer, to reënter, come
    back, come home, go back
    (into), go in again; bring
    back.

renverser, to throw back.
renvoyer, to send away.
répandre (se), to be spread.
repas, *m.*, meal.
repasser, to pass again.
répéter, to repeat, go over.
répondre, to answer, reply.
réponse, *f.*, answer.
reposer, to rest; se —, rest.
repousser, to push back.
reprenait, *imperf. of* repren-
    dre.
reprendre, to take back; take
    up; repeat; — haleine, take
    breath.
représenter, to represent; se
    —, imagine.
reproche, *m.*, reproach.
reprocher, to reproach.
république, *f.*, republic.
réquisition, *f.*, requisition.
résister, to resist.
résolut, *past def. of* ré-
    soudre.
résoudre, to determine.
respect, *m.*, respect.
respecter, to respect; se —,
    have self-respect, be a self-
    respecting man.
respiration, *f.*, breath.
respirer, to breathe, inhale.
resplendissant, –e, resplen-
    dent, brilliant.
ressembler, to resemble; se
    —, resemble each other.
reste (du), besides.

rester, to remain, stay; **en —
là,** go no further.

retard, *m.,* delay; **en —,** late.

retarder, to be slow.

retenir, to retain, keep back,
hold back, stifle; stop.

retint, *past def. of* retenir.

retour, *m.,* return.

retourner, to return, go back;
turn; **se —,** turn around.

retraite, *f.,* retreat.

retrouver, to find again, see
again; **s'y —,** get one's
bearings, find one's way.

réunir, to reunite; **se —,**
meet.

réussir, to succeed; be successful.

rêve, *m.,* dream.

réveiller (se), to awake.

revenir, to come back, return; be repeated; **on n'en
revient guère,** very few re-
cover from it.

revenu, –e, *past part. of* revenir.

rêver, to dream.

révérence, *f.,* bow, courtesy.

reverrai, *fut. of* revoir.

reviendriez, *cond.;* **reviens,**
pres. ind. and imper.; **revinrent, revins,** *past def. of*
revenir.

revit, *past def. of* revoir.

revivre, to revive; **faire —,**
bring back to life.

revoir, to see again.

révolution, *f.,* revolution.

revoyait, *imperf. of* revoir.

revu, –e, *past part. of* revoir.

Rhône, *m.,* the Rhone River.

riant, –e, smiling, cheerful.

ribambelle, *f.,* long line.

richesse, *f.,* wealth, riches.

ride, *f.,* wrinkle.

ridé, –e, wrinkled.

rideau, *m.,* curtain.

rien, anything, nothing; **cela
ne fait rien,** that makes no
difference; **— de plus,** nothing else; **— , —,** nothing; **— que,** only; merely.

rieu–r, –se, laughing, merry.

rime, *f.,* rhyme.

rire, to laugh; **— de,** laugh at.

rire, *m.,* laughter, laugh; **un
petit —,** chuckle, titter.

risquer, to run the risk.

robe, *f.,* dress, gown.

roche, *f.,* rock.

rocher, *m.,* rock; fragment of
a rock.

rôder, to roam, walk about.

roi, *m.,* king.

rompre, to break.

ronde, *f.,* round, dance (*in a
ring*); round hand; **à la —,**
all around; **à dix lieues à la
—,** within a radius of ten
leagues.

rond-point, *m.,* circle.

ronfler, to snore; beat.

rose, rosy, rosy-colored, pink.

rose, *m.*, rose color, pink.

rôti, *m.*, roast.

roucouler, to coo.

roue, *f.*, wheel.

rouge, red.

rouler, to roll; se —, roll, wallow.

rousse, *f. of* roux.

route, *f.*, road; trip; en —, on the way; sur sa —, as the mule passed by; courir les —s, to travel; se mettre en —, start.

rou-x, –sse, reddish; brown.

royal, –e, royal.

ruade, *f.*, kick.

ruban, *m.*, ribbon.

rubis, *m.*, ruby.

ruche, *f.*, beehive.

rude, hard; fierce.

rue, *f.*, street.

ruisseau, *f.*, brook; gutter.

ruisselant, –e, dripping.

rythmé, –e, rhythmically accompanied.

S

s' = se; *also* si *before* il, ils.

sabot, *m.*, hoof.

sabre, *m.*, saber.

sac, *m.*, sack, bag.

sachant, *pres. part. of* savoir.

sacré, –e, confounded.

sacristain, *m.*, sexton.

safran, *m.*, saffron; de —, yellow.

sagesse, *f.*, wisdom.

sain, –e, healthy, sound.

sainfoin, *m.*, timothy grass.

saint, –e, saint, holy, sacred.

saintement, saintly.

sainteté, *f.*, holiness.

Saint-Père, *m.*, Holy Father (*pope*).

sais, *pres. ind. of* savoir.

salle, *f.*, hall; room; class room; dining-room; — à manger, dining-room.

salon, *m.*, drawing room.

saluer, to bow, bow to; greet.

salut, *m.*, greeting; good-by.

salve, *f.*, salute, volley.

sang, *m.*, blood.

sanglant, –e, bloody; purplish.

sanglot, *m.*, sob.

sangloter, to sob.

sans, without, but for.

santé, *f.*, health.

sapin, *m.*, fir-tree.

Sarrasin, *m.*, Saracen.

Saturne, *m.*, Saturn.

sau–f, –ve, safe.

saut, *m.*, leap, jump.

sauter, to jump, leap.

sautillant, –e, hopping.

sauvage, wild.

sauver, to save.

sauvetage, *m.*, rescue.

savoir, to know, know how.

savoir, *m.*, knowledge.

savoureu-x, **-se**, savory.

scandaliser, to shock.

scélérat, *m.*, rascal, bandit.

scierie, *f.*, sawmill.

sculpteur, *m.* (*do not sound the p*), sculptor.

se, **s'**, oneself, himself, herself, itself, themselves.

sec, **sèche**, dry.

sécher, to dry.

secouer, to shake, agitate.

secousse, *f.*, shock.

secret, *m.*, secret.

section, *f.*, section, division.

sédentaire, *m.*, local militiaman.

séduire, to lead astray.

seigneur, *m.*, lord.

selon, according to.

semaine, *f.*, week.

semblant, *m.*, pretense; **faire —**, to pretend.

sembler, to seem.

semer, to sow.

sens, *m.*, sense.

sensation, *f.*, sensation.

sentier, *m.*, path.

sentinelle, *f.*, sentry.

sentir, to feel; smell; stink, smack of; have an air of; **se —**, feel that one has *or* is.

sept, seven.

seras, **serez**, *fut. of* être.

sérénité, *f.*, serenity.

sergent, *m.*, sergeant.

sérieu-x, **-se**, serious.

serrer, to press, squeeze; shake; **se —**, sit close.

serrure, *f.*, lock; **trou de la —**, keyhole.

sert, *pres. ind. of* **servir**.

service, *m.*, service.

serviette, *f.*, napkin.

servir, to serve; help; **— de**, serve as; **se — de**, make use of.

serviteur, *m.*, servant.

ses, *plur. of* **son**.

seuil, *m.*, threshold.

seul, **-e**, alone.

seulement, only.

sévèrement, severely.

si, *conj.*, if; whether.

si, *adv.*, so; yes.

siège, *m.*, siege; seat.

sien (le), **la -ne**, his, hers, its; **des —s**, of her family.

sieste, *f.*, afternoon nap.

siffler, to whistle.

sifflet, *m.*, whistle.

signe, *m.*, sign; **faire —**, to nod, motion.

signer (se), to cross oneself, make the sign of the cross.

signet, *m.* (*do not sound the g*), book-mark.

signifier, to mean.

silence, *m.*, silence.

silencieu-x, **-se**, silent.

silhouette, *f.*, silhouette.

simples, *m. plur.*, medicinal plants.

simplifier, to simplify.

singuli–er, –ère, strange, odd.

sinistre, sinister, gloomy.

sire, *m.*, sire, sir.

Sirius, *m.*, Sirius, dog-star.

sitôt, so soon; — dit, — fait, no sooner said than done.

six, six.

sœur, *f.*, sister.

soie, *f.*, silk.

soin, *m.*, care.

soir, *m.*, evening.

sois, *imper. and pres. subj.;* soit, *pres. subj. of* être.

soixante, sixty.

sol, *m.*, ground.

soldat, *m.*, soldier.

soleil, *m.*, sun, sunshine.

solennel, –le, solemn.

solide, solid, substantial.

solitude, *f.*, solitude.

somme, *f.*, sum; en —, on the whole.

somme, *m.*, nap.

sommeil, *m.*, sleep.

son, sa, ses, his, her, its.

songer, to dream; think.

sonnaille, *f.*, bell.

sonner, to sound, ring, resound, jingle, strike.

sonnette, *f.*, door-bell.

sont, *pres. ind. of* être.

sorcier, *m.*, sorcerer.

sorcière, *f.*, witch.

sorte, *f.*, kind.

sortie, *f.*, coming out, end.

sortir, to go out, come out; leave; take out.

sou, *m.*, cent.

souche, *f.*, stump.

soudain, suddenly.

souffler, to blow, puff, breath hard.

souffrir, to suffer.

souhaiter, to wish.

soûl (*do not sound final l*), –e, intoxicated.

soulager, to relieve.

soulier, *m.*, shoe.

soupe, *f.*, soup.

souper, to take supper.

source, *f.*, spring.

sourciller, to wince.

sourd-muet, *m.*, deaf-mute.

sourire, to smile.

sourire, *m.*, smile.

souris, *f.*, mouse.

sous, under, below.

sous, *plur. of* sou.

sous-officier, *m.*, non-commissioned officer.

souvenir (se), to remember.

souvent, often.

souviendrai, *fut.;* souviens, *pres. ind. of* souvenir.

square, *m.*, square.

store, *m.*, window-shade.

stupéfait, –e, dumfounded.

stupeur, *f.*, stupor, unconsciousness, astonishment.

su, –e, *past part. of* savoir.

subitement, suddenly.

suc, *m.*, juice.

succès, *m.*, success.

sucre, *m.*, sugar.

sucrer, to sweeten with sugar.

suer, to sweat.

suis, *pres. ind. of* être.

suite, *f.*, continuation; tout de —, at once.

suivant, –e, following.

suivre, to follow.

sujet, *m.*, subject; à ce —, about it *or* them.

superbe, fine, beautiful.

supplication, *f.*, prayer.

sûr, –e, sure, certain.

sûr, *adv.*, surely.

sur, on, upon, about.

surmonter, to surmount, cap.

surprendre, to take by surprise, astonish; intercept, find out.

surpris, –e, *past part.;* surprit, *past def. of* surprendre.

sursaut, *m.*, start; afflux, burst; en —, with a start.

surtout, above all, especially.

surveiller, to watch.

surveillance, *f.*, watch.

suspect, –e, suspicious.

syllabe, *f.*, syllable.

symétriquement, with symmetry.

T

t' = te.

ta, *f. of* ton.

tabac (*do not sound the c*), *m.*, tobacco; — d'Espagne, snuff colored.

table, *f.*, table, desk.

tableau, *m.*, picture; blackboard.

tablette, *f.*, shelf, window-sill.

tablier, *m.*, apron.

tâche, *f.*, task, undertaking.

tacher, to stain.

taille, *f.*, waist.

taillole, *f.*, (*dialectal word*) sash, wide belt.

talus, *m.*, embankment, slope.

tambour, *m.*, drum; drummer.

tambourin, *m.*, tambourine.

tandis que, while, whereas.

tant, so much, so many; — que, *adv.*, as much as; *conj.*, so long as; — bien que mal, as well as I could.

tante, *f.*, aunt.

tantôt, soon; — . . ., — . . . now . . ., now . . .

tapage, *m.*, noise, uproar.

tape, *f.*, slap.

taper, to rap, strike.

tapis, *m.*, carpet.

tapisser, to drape, hang.

tard, late.

tas, *m.*, heap, pile.

te, you, to you.

tel, –le, such.

témoin, *m.*, witness; scene; Dieu m'est —, I call God to witness.

temps, *m.*, time; weather; de ce — –là, at that time; de — en —, from time to time.

tendre, to stretch, stretch out; open.

tendresse, *f.*, affection.

tenez! *excl.*, see! there!

tenir, to hold, keep; hold out; find room; — à, insist on, be anxious to; — bien, hold fast to, retain; — bon, resist; se —, stand, stand up, hold out; il n'y tint plus, he could not stand it any longer; il ne s'en tint pas là, he was not satisfied with that.

tentation, *f.*, temptation.

tente, *f.*, tent.

tenter, to tempt, try; attract.

tenu, –e, *past part. of* tenir.

tenue, *f.*, bearing, dress; mauvaise —, unsoldiery appearance; en grande —, in full dress; en — de bal, in ball dress.

terminé, –e, over.

terre, *f.*, earth, soil, ground, land; — blanche, white clay; par —, on the ground; on the floor.

terreur, *f.*, terror, fright.

terreu–x, –se, earth stained, dirty.

terrible, terrible, frightful.

testament, *m.*, last will.

tête, *f.*, head; wits; n'avoir plus sa —, to be dizzy, lose one's wits; en perdre la —, become crazy.

théâtre, *m.*, theater; coup de —, stage effect.

tic tac, *m.*, tick-tack; click, noise; ticking.

tienne, *pres. subj.;* tiens, *pres. ind. or imper. of* tenir.

tiens! *excl.*, there!

tient, *pres. ind. of* tenir.

timbale, *f.*, cup (*of metal*).

timidement, timidly.

tint, *past def. of* tenir.

tirer, to draw, take out, pull, get, get out; fire, shoot; — au mur, practise kicking at the wall; on s'en tira encore, we got along fairly well.

tireur, *m.*, puller.

tisser, to weave.

toi, you, to you.

toile, *f.*, cloth, linen, canvas; — d'araignée, cobweb.

toison, *f.*, fleece; head of hair.

toit, *m.*, roof.

toiture, *f.*, roof.

tomber, to fall; shoot; become; (*day*) grow dark.

ton, ta, tes, your.

tonner, to thunder; roar.

torrent, *m.*, torrent.

tôt, soon.

touchant, –e, pathetic.

toucher, to touch, move.

toujours, always, ever, all the time; constantly; anyhow; still.

tour, *m.*, tour; turn; trick; **fermer à double —,** to double lock.

tourbillon, *m.,* whirlwind.

tourbillonner, to whirl.

tourmenter, to distress.

tourner, to turn; **se —,** turn.

tournure, *f.*, shape; outside appearance.

tourtière, *f.*, patty-dish.

tous, *plur. of* tout.

tousser, to cough.

tout, –e, tous, toutes, all, whole, any, every; **— le monde,** everybody; **tous deux,** both; **tous les sept ans,** every seventh year.

tout, *pron.*, everything, all; **le —,** the whole.

tout, *adv.*, quite, wholly, very; **—e neuve,** brand-new; **— à coup,** suddenly, all of a sudden; **— à fait,** entirely, completely; very far; **— à l'heure,** presently, a little while before *or* ago;

— de même, all the same; **— de suite,** immediately; **— en,** while; **— là-haut,** at the very top.

tracer, to trace; make.

trahir, to betray.

train, *m.*, train; bustle; din, noise; **— de derrière,** haunches; **— de vie,** way of living; **en — de,** in the act of, busy, engaged.

traîneur (*m.*) de bancs, loafer.

traîner, to drag; go, hire oneself out, be a drudge; **se —,** drag oneself along.

traire, to milk.

trait, *m.*, feature; rein.

tramontane, *f.*, north wind (*on the Mediterranean sea*).

tranchée, *f.*, trench, large ditch.

tranquille, tranquil, quiet.

transformer, to turn.

transporter, to remove.

travailler, to work.

travers, *m.*, breadth; **à —,** across, through; **en —,** across, crosswise.

traverse, *f.*, short cut.

traverser, to cross, pass through.

trembler, to tremble, shake.

tremper, to soak.

trente, thirty.

très, very.

trésor, *m.*, treasure.

tressaillir, to start, shudder.

trêve, f., truce.

tricorne, m., three-cornered hat.

trictrac, m., click of the trigger.

tringle, f., rod.

triomphal, -e, triumphal.

triomphe, m., triumph.

triste, sad; gloomy.

tristement, sadly.

trois, three.

troisième, third.

trompe, f., horn.

tromper, to deceive; se —, be mistaken.

trompette, f., trumpet.

tronc, m., trunk.

trop, too, too much.

trophée, m., trophy.

troquer, to exchange.

trot, m., trot.

trotte-menu, slow walking.

trotter, to trot; walk about.

trottiner, to toddle.

trottoir, m., sidewalk.

trou, m., hole.

trouble, m., confusion.

trouble, adj., obscure.

troubler, to disturb.

troué, -e, pierced, full of holes.

trouer, to tear, pierce.

troupe, f., troop; band, company; flock.

troupeau, m., flock.

trouver, to find; think; venir —, meet, call on; se —, find oneself, be; (impers.) happen.

truite, f., trout.

tu, you.

tuer, to kill; se —, kill oneself.

tumulte, m., tumult, noise, confusion.

U

uhlan, m., Uhlan (German lancer).

un, -e, one, a, an; — à —, one by one.

uniforme, m., uniform; en grand —, in full dress.

usage, m., usage, use, custom.

usine, f., factory.

V

va, pres. ind. and imper. of aller.

va! excl., I tell you.

vacances, f. plur., holidays.

va-et-vient, m., to-and-fro motion.

vague, vague, indistinct.

vaguement, vaguely.

vaincu, *m.*, conquered, vanquished.

vais, *pres. ind. of* aller.

vallée, *f.*, valley.

valoir, to be worth; bring; — mieux, be better; ne — rien, be bad.

valse, *f.*, waltz.

valu, –e, *past part. of* valoir.

vapeur, *f.*, steam; — de lumière, bright mist.

vas, *pres. ind. of* aller.

vaudrait, *cond. of* valoir.

vaurien, *m.*, good-for-nothing.

vautré, –e, lying sprawling.

vautrer (se), to wallow, roll.

vécut, *past def. of* vivre.

veillée, *f.*, sitting up; winter evening party; faire la —, to spend the evening.

veiller, to watch.

veine, *f.*, vein.

velours, *m.*, velvet.

velouté, *m.*, velvety gloss.

vendre, to sell.

venir, to come; — à bout de, consume, devour; s'en —, come.

vent, *m.*, wind; bannières au —, unfurled banners.

ventre, *m.*, belly, stomach.

venu, –e, *past part. of* venir.

vêpres, *f. plur.*, afternoon service.

véritable, real.

vérité, *f.*, truth.

verrais, –t, *cond.;* verras, *fut. of* voir.

vers, towards; about.

verser, to pour; shed.

vert, –e, green.

vertige, *m.*, dizziness.

verve, *f.*, wit, humor.

veste, *f.*, jacket, coat.

vêtements, *m. plur.*, clothes.

veut, *pres. ind. of* vouloir.

veuve, *f.*, widow.

veux, *pres. ind. of* vouloir.

viande, *f.*, meat.

victoire, *f.*, victory.

vide, empty, vacant.

vide, *m.*, space, opening; à —, without grinding anything.

vider, to empty.

vie, *f.*, life, vitality; living; c'est la — des êtres, beings are stirring; ne . . . jamais de la —, never in the world.

vieil, –le; see vieux.

vieillard, *m.*, old man.

vieille, *f.*, old woman.

vieillir, to grow old.

viendra, –s, *fut.;* viennent, viens, –t, *pres. ind. of* venir.

Vierge, *f.*, virgin; fil de la —, gossamer.

vieux, vieil, –le, old.

vieux, *m.*, old man; mon —, old fellow; *plur.*, old people.

vi–f, –ve, lively, sharp, brisk.

vigne, *f.*, vine; vineyard.

viguier, *m.*, provost.

vilain, –e, mean, nasty, dirty.

village, *m.*, village.

ville, *f.*, town.

vin, *m.*, wine.

vindicati–f, –ve, vindictive, revengeful.

vingt, twenty.

vinrent, vins, –t, *past def.;* vînt, *imperf. subj.* of venir.

violet, –te, purple.

violon, *m.*, violin.

virer, to whirl, turn.

vis, *past def. of* voir; *also pres. ind. of* vivre.

visage, *m.*, visage, face.

visite, *f.*, visit.

vit, *past def. of* voir.

vite, quick, quickly.

vitre, *f.*, window, window-pane.

vitrine, *f.*, show-window.

vivant, –e, living, alive.

vive, *f. of* vif.

vive, *pres. subj. of* vivre.

vivement, quickly.

vives, *pres. subj. of* vivre.

vivre, to live; âme qui vive, a living soul; vive la France! long live France!

vivres, *m. plur.*, provisions.

vocabulaire, *m.*, vocabulary.

voici (=vois ici), here is, here are, this is, these are.

voie, *f.*, way; avenue; rail-road track.

voilà (=vois là), there is, there are, that is; la — partie, there she goes.

voilé, –e, veiled, dim.

voir, to see; se —, see oneself, imagine oneself to be; be visible.

voisin, *m.*, neighbor.

voiture, *f.*, carriage.

voix, *f.*, voice.

vol, *m.*, flight; flock.

volant, *m.*, shuttlecock.

voler, to steal.

volet, *m.*, shutter.

voleur, *m.*, thief.

volonté, *f.*, will.

voltiger, to flutter, fly about.

vont, *pres. ind. of* aller.

vouloir, to wish; — bien, like.

voyais, –t, *imperf. ind.;* voyant, *pres. part. of* voir.

voyage, *m.*, trip.

voyou, *m.*, ragamuffin, blackguard.

vrai, –e, true, real.

vraiment, truly.

vu, –e, *past part. of* voir.

Y

y, *adv.*, there; il y a, there is, there are; ago.

y, *pron.*, to it, in it.

yeux (*plur. of* œil), eyes.

Z

zébré, –e, striped.